영어 단어 외우기!
생각만 해도 어렵고 지겨운가요?

마음속의 두려움을 잠시 내려놓고,
하나하나 기초부터 시작한다면
어느새 여러분의
영어 단어 실력은 **껑충** 올라 있을 거예요.

이 책의 **3**단계 학습법

Step 1 단어와 뜻 익히기

단어를 따라 쓰면서 철자와 우리말 뜻을 외워 보세요.

Step 2 예문 속 단어 익히기

예문의 빈칸을 채우면서 단어의 역할을 확인해 보세요.

Step 3 학습한 단어 확인하기

다양한 활동을 통해 앞 단계에서 공부한 단어와 예문을 다시 한 번 확인해 보세요.

이 책의 활용법

듣기 파일은 천재교육 홈페이지(www.chunjae.co.kr)와 QR코드로 확인하실 수 있습니다.

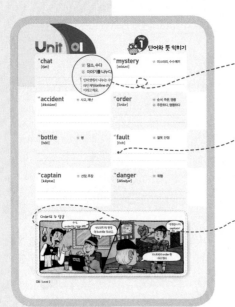

Tip을 통해 단어에 관한 다양한 관련 지식을 알아봅니다.

제시된 단어들을 따라 쓰면서 철자와 우리말 뜻을 학습합니다.

학습한 단어들이 사용된 만화를 읽으면서 단어를 재미있게 공부합니다.

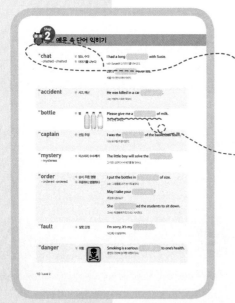

단어와 우리말 뜻, 동사의 변화형, 명사의 복수형까지 꼼꼼히 학습합니다.

예문의 빈칸을 채우면서 단어의 역할과 의미를 확인합니다.

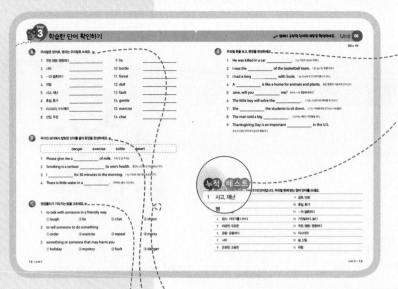

제시된 우리말 뜻을 보고, 문장을 완성합니다.

누적 테스트를 통해 앞 Unit에서 배운 단어까지 한 번에 확인합니다.

우리말은 영어로, 영어는 우리말로 쓰면서 단어의 철자와 우리말 뜻을 확인합니다.

주어진 상자에서 알맞은 단어를 골라 문장을 완성합니다.

영영풀이가 가리키는 단어를 골라 뜻을 확인합니다.

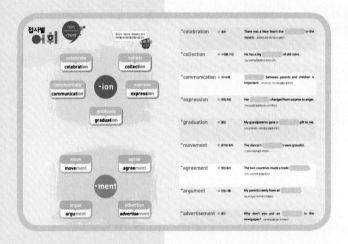

• 4개의 Unit마다 제시된 접사별 어휘를 통해 단어 실력을 확장합니다.

자, 이제
공부를
시작해 볼까요?

발음기호

단어를 어떻게 읽는지 알아볼까요?

자음

[b]	ㅂ	boy[bɔi]	소년
[d]	ㄷ	desk[desk]	책상
[v]	ㅂ	vegetable[védʒətəbl]	채소
[z]	ㅈ	zoo[zu:]	동물원
[ð]	ㄷ	weather[wéðər]	날씨
[g]	ㄱ	grow[grou]	자라다
[ʒ]	쥐	television[téləvìʒən]	텔레비전
[dʒ]	쮜	join[dʒɔin]	가입하다
[h]	ㅎ	hill[hil]	언덕
[m]	ㅁ	meat[mi:t]	고기
[l]	ㄹ	long[lɔ:ŋ]	긴

[p]	ㅍ	pen[pen]	펜
[t]	ㅌ	tall[tɔ:l]	키가 큰
[f]	ㅍ / ㅎ	fox[fɑks]	여우
[s]	ㅅ	smart[smɑ:rt]	영리한
[θ]	ㅆ	thin[θin]	마른
[k]	ㅋ	class[klæs]	반, 수업
[ʃ]	쉬	finish[fíniʃ]	끝나다
[tʃ]	취	cheap[tʃi:p]	(값이) 싼
[ŋ]	받침 ㅇ	wrong[rɔ:ŋ]	나쁜, 잘못된
[n]	ㄴ	noon[nu:n]	정오
[r]	ㄹ	road[roud]	길

모음

[ɑ]	아	drop [drɑp]	떨어뜨리다	[æ]	애	rabbit [rǽbit]	토끼
[e]	에	bread [bred]	빵	[ʌ]	아+어	puppy [pʌ́pi]	강아지
[i]	이	kid [kid]	아이	[ə]	어	woman [wúmən]	여자
[o]	오	go [gou]	가다	[ɔ]	아+오	dog [dɔːg]	개
[u]	우	cook [kuk]	요리하다	[ɛ]	에	airport [ɛ́ərpɔ̀ːrt]	공항

장모음 길게 소리 나는 장모음은 발음 기호 옆에 :를 붙여서 표시한다.

[ɑː]	아-	father [fɑ́ːðər]	아버지	[iː]	이-	east [iːst]	동쪽
[uː]	우-	food [fuːd]	음식	[əː]	어-	bird [bəːrd]	새

[j]/[w] 발음 모음 앞에 [j]가 붙으면 '야, 여, 유', [w]가 붙으면 '와, 위, 웨' 같이 발음된다.

[jɑ]	야	yard [jɑːrd]	마당, 뜰	[ju]	유	Europe [júərəp]	유럽
[wi]	위	weak [wiːk]	약한	[we]	웨	wave [weiv]	흔들리다

품사

단어의 역할과 의미 등에 따라서 8가지 품사로 나눌 수 있어요.

명사 **noun**	• 사람, 사물, 장소 등의 이름을 나타내는 단어 • 주어, 목적어, 보어 역할 **cup** (컵), **Korea** (대한민국), **love** (사랑), **water** (물) …
대명사 **pronoun**	• 사람이나 사물 등의 이름을 대신하는 단어 • 주어, 목적어, 보어 역할 **this** (이것), **it** (그것), **you** (너), **we** (우리) …
동사 **verb**	• 주어의 동작이나 상태를 나타내는 단어 **be**동사 (…이다), **go** (가다), **eat** (먹다) …
형용사 **adjective**	• 사람이나 사물의 성질, 상태, 모양 등을 나타내는 단어 • 명사를 꾸며주거나 보어 역할 **pretty** (귀여운), **tall** (키가 큰), **quiet** (조용한) …

 주머니 속 단어를 읽어 보세요.

Canada	my	help	are	beautiful	short
that	sugar	house	our	know	nice

명사
Canada
sugar
house

대명사
my
that
our

동사
help
are
know

형용사
beautiful
short
nice

부사 adverb	• 장소, 시간, 정도, 빈도 등을 나타내는 단어 • 동사, 형용사, 다른 부사 등을 꾸밈 **there** (거기에), **now** (지금), **fast** (빠르게), **often** (종종) …
전치사 preposition	• 명사 앞에서 시간, 장소, 방향 등을 나타내는 단어 **at 11** (11시에), **in London** (런던에서), **to the park** (공원으로) …
접속사 conjunction	• 단어와 단어, 구와 구, 절과 절을 연결하는 단어 **and** (…와), **but** (하지만), **because** (… 때문에) …
감탄사 interjection	• 놀람, 슬픔, 기쁨 등의 감정을 나타내는 단어 **wow** (와), **oh** (오), **oops** (아이쿠) …

 문장 속 단어의 품사를 확인해 보세요.

1 Eric and his brother live in Seoul.

명사	대명사	동사	명사
접속사	명사	전치사	

2 Oh, your sister is really smart!

감탄사	명사	부사
대명사	동사	형용사

Unit 01

01 chat
[tʃæt]
- 명 담소, 수다
- 동 이야기를 나누다

> 인터넷에서 나누는 수다를 온라인 채팅(online chatting)이라고 해요.

05 mystery
[místəri]
- 명 미스터리, 수수께끼

02 accident
[ǽksidənt]
- 명 사고, 재난

06 order
[ɔ́ːrdər]
- 명 순서, 주문, 명령
- 동 주문하다, 명령하다

03 bottle
[bátl]
- 명 병

07 fault
[fɔːlt]
- 명 잘못, 단점

04 captain
[kǽptən]
- 명 선장, 주장

08 danger
[déindʒər]
- 명 위험

Order의 두 얼굴

← 단어를 쓰며 철자와 뜻을 외우세요.

09 holiday
[hάlidèi]

명 휴일, 휴가

13 gentle
[dʒéntl]

형 온화한, 조용한

10 dull
[dʌl]

형 따분한, 우둔한

14 desert
[dézərt]

명 사막

> dessert(후식)와 철자를 혼동하기 쉬우니 주의하세요.

11 exercise
[éksərsàiz]

명 운동, 연습
동 운동하다

15 lie
[lai]

명 거짓말
동 거짓말하다, 눕다

> 뜻에 따라 동사의 변화형이 달라요.
> • 거짓말하다: lie-lied-lied
> • 눕다: lie-lay-lain

12 forest
[fɔ́:rist]

명 숲, 산림

16 marry
[mǽri]

동 …와 결혼하다

셜록 홈즈와 존 왓슨의 Holiday

01 chat
- chatted - chatted

몡 담소, 수다
동 이야기를 나누다

I had a long _____ with Susie.
나는 Susie와 긴 이야기를 나누었다.

Let's _____ over tea.
차를 마시면서 이야기하자.

02 accident

몡 사고, 재난

He was killed in a car _____.
그는 자동차 사고로 죽었다.

03 bottle

몡 병

Please give me a _____ of milk.
우유 한 병 주세요.

04 captain

몡 선장, 주장

I was the _____ of the basketball team.
나는 농구팀 주장이었다.

05 mystery
- mysteries

몡 미스터리, 수수께끼

The little boy will solve the _____.
그 어린 소년이 수수께끼를 풀 것이다.

06 order
- ordered - ordered

몡 순서, 주문, 명령
동 주문하다, 명령하다

I put the bottles in _____ of size.
나는 그 병들을 크기 순서로 놓았다.

May I take your _____?
주문하시겠어요?

She _____ed the students to sit down.
그녀는 학생들에게 앉으라고 지시했다.

07 fault

몡 잘못, 단점

I'm sorry, it's my _____.
미안해, 내 잘못이야.

08 danger

몡 위험

Smoking is a serious _____ to one's health.
흡연은 건강에 심각한 위험이 된다.

09 holiday
- holidays

(명) 휴일, 휴가

Thanksgiving Day is an important [____] in the U.S. 추수감사절은 미국에서 중요한 휴일이다.

10 dull

(형) 따분한, 우둔한

He is a nice but [____] man.

그는 친절하지만 따분한 사람이다.

11 exercise
- exercised
- exercised

(명) 운동, 연습
(동) 운동하다

I begin my day with light [____].

나는 가벼운 운동으로 하루를 시작한다.

I [____] for 30 minutes in the morning.

나는 아침에 30분 동안 운동을 한다.

12 forest

(명) 숲, 산림

A [____] is like a home for animals and plants. 숲은 동물과 식물에게 집과 같다.

13 gentle

(형) 온화한, 조용한

He's very [____] with his students.

그는 자신의 학생들에게 매우 온화하다.

14 desert

(명) 사막

There is little water in a [____].

사막에는 물이 거의 없다.

15 lie
- lied - lied
- lay - lain

(명) 거짓말
(동) 거짓말하다, 눕다

The man told a big [____].

그 남자는 새빨간 거짓말을 했다.

불규칙 과거형으로 쓰세요.

The cat [____] on the sofa and slept.

고양이는 소파에 누워 잠을 잤다.

16 marry
- married - married

(동) …와 결혼하다

Jane, will you [____] me?

Jane, 나와 결혼해 줄래요?

A 우리말은 영어로, 영어는 우리말로 쓰세요.

1 주문, 명령; 명령하다 _____

2 사막 _____

3 …와 결혼하다 _____

4 위험 _____

5 사고, 재난 _____

6 휴일, 휴가 _____

7 미스터리, 수수께끼 _____

8 선장, 주장 _____

9 lie _____

10 bottle _____

11 forest _____

12 dull _____

13 fault _____

14 gentle _____

15 exercise _____

16 chat _____

B 주어진 상자에서 알맞은 단어를 골라 문장을 완성하세요.

danger	exercise	bottle	desert

1 Please give me a _____ of milk. 우유 한 병 주세요.

2 Smoking is a serious _____ to one's health. 흡연은 건강에 심각한 위험이 된다.

3 I _____ for 30 minutes in the morning. 나는 아침에 30분 동안 운동을 한다.

4 There is little water in a _____. 사막에는 물이 거의 없다.

C 영영풀이가 가리키는 말을 고르세요.

1 to talk with someone in a friendly way

① laugh   ② lie   ③ chat   ④ shout

2 to tell someone to do something

① order   ② exercise   ③ repeat   ④ marry

3 something or someone that may harm you

① holiday   ② mystery   ③ fault   ④ danger

정답 p. 164

D 우리말 뜻을 보고, 문장을 완성하세요.

1 He was killed in a car _____ . 그는 자동차 **사고**로 죽었다.

2 I was the _____ of the basketball team. 나는 농구팀 **주장**이었다.

3 I had a long _____ with Susie. 나는 Susie와 긴 **이야기**를 나누었다.

4 A _____ is like a home for animals and plants. **숲**은 동물과 식물에게 집과 같다.

5 Jane, will you _____ me? Jane, 나와 **결혼해** 줄래요?

6 The little boy will solve the _____ . 그 어린 소년이 **수수께끼**를 풀 것이다.

7 She _____ the students to sit down. 그녀는 학생들에게 앉으라고 **지시했다**.

8 The man told a big _____ . 그 남자는 새빨간 **거짓말**을 했다.

9 Thanksgiving Day is an important _____ in the U.S.
추수감사절은 미국에서 중요한 **휴일**이다.

누적 테스트 Unit 01의 단어입니다. 우리말 뜻에 맞는 영어 단어를 쓰세요.

1	사고, 재난	9	잘못, 단점
2	병	10	휴일, 휴가
3	선장, 주장	11	…와 결혼하다
4	담소; 이야기를 나누다	12	거짓말하다, 눕다
5	따분한, 우둔한	13	주문, 명령; 명령하다
6	운동; 운동하다	14	미스터리
7	사막	15	숲, 산림
8	온화한, 조용한	16	위험

Unit 02

01 secret
[síːkrit]
명 비밀, 비결

05 strength
[streŋkθ]
명 힘, 강도

02 silly
[síli]
형 어리석은, 바보 같은

06 background
[bǽkgràund]
명 배경, 경력

03 empty
[émpti]
형 비어 있는, 빈

> empty의 p는 마치 묵음처럼 거의 들리지 않게 발음해요.

07 tired
[taiərd]
형 피곤한, 싫증 난

04 fever
[fíːvər]
명 열, 열병

08 view
[vjuː]
명 전망, 견해

셜록은 조수가 필요해!   존은 재미있는 일이 필요해!

사무실을 empty하게 두어선 안 되겠어. secret을 잘 지켜줄 조수를 구해야겠어!

Sherlock Holmes

Fever가 높은 환자들이 많아 tired하군. 흥미진진한 일 좀 어디 없을까?

↙ 단어를 쓰며 철자와 뜻을 외우세요.

⁰⁹**amazing**
[əméiziŋ]

(형) 놀라운, 대단한

¹³**stare**
[stɛər]

(동) 빤히 쳐다보다, 응시하다

¹⁰**fortune**
[fɔ́ːrtʃən]

(명) 재산, 운

'운이 좋은'이라는 뜻의 형용사는 **fortunate**예요.

¹⁴**exciting**
[iksáitiŋ]

(형) 신 나는, 흥미진진한

¹¹**cheer**
[tʃiər]

(명) 환호, 격려
(동) 환호하다

¹⁵**fantasy**
[fǽntəsi]

(명) 공상, 상상

¹²**clue**
[kluː]

(명) 단서, 실마리

¹⁶**theater**
[θíːətər]

(명) 극장

영국 영어에서는 **theatre** 라고 쓰며, 발음은 같습 니다.

셜록과 존의 첫 만남

나는 clue를 찾아 사건을 해결하는 exciting한 일을 하죠.

Amazing하군요!

탐정 일에 관심이 많은 사람을 만나다니 제가 fortune이 좋군요.

이 사람은 stare하는 습관이 있군…

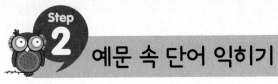

01 secret 　명 비밀, 비결

It's a _____ between you and me.

이건 너와 나 사이의 비밀이야.

02 silly 　형 어리석은, 바보 같은

I made a _____ mistake again.

나는 또 어리석은 실수를 했다.

03 empty 　형 비어 있는, 빈

Don't throw _____ cans on the street.

빈 캔들을 길에 버리지 마라.

04 fever 　명 열, 열병

You have a high _____.

너는 열이 높아.

05 strength 　명 힘, 강도

He swims to build up the _____ in his muscles.　그는 자신의 근육의 힘을 키우기 위해 수영을 한다.

06 background 　명 배경, 경력

I love the _____ music in the movie.

나는 그 영화의 배경 음악을 무척 좋아한다.

07 tired 　형 피곤한, 싫증 난

You look _____. Please get some rest.

너 피곤해 보여. 좀 쉬어.

Henry was _____ of everything.

Henry는 모든 것에 싫증이 났다.

08 view 　명 전망, 견해

I'd like a room with a nice _____.

저는 전망이 좋은 방을 원해요.

At the meeting, people exchanged their _____s freely.

회의에서 사람들은 자신의 견해를 자유롭게 교환했다.

09 amazing

형 놀라운, 대단한

The country's economic growth is _____.

그 나라의 경제 성장은 놀랍다.

10 fortune

명 재산, 운

He left a large _____ to his daughter.

그는 자신의 딸에게 많은 재산을 남겼다.

She got a job through good _____.

그녀는 다행히도 직장을 구했다.

11 cheer
- cheered - cheered

명 환호, 격려
동 환호하다

Three _____s for the winners!

우승한 선수들을 위해 함성을 세 번 지릅시다!

The crowd _____ed as he entered the stadium. 군중은 그가 경기장에 들어서자 환호했다.

12 clue

명 단서, 실마리

The killer didn't leave even one _____.

그 살인자는 단 하나의 단서도 남기지 않았다.

13 stare
- stared - stared

동 빤히 쳐다보다, 응시하다

He _____d at me for a long time.

그는 한참 동안 나를 빤히 쳐다보았다.

14 exciting

형 신나는, 흥미진진한

Tonight's baseball game was really _____.

오늘 밤 야구 경기는 정말 흥미진진했다.

15 fantasy
- fantasies

명 공상, 상상

_____ novels are popular with teens.

공상 소설은 십 대 사이에서 인기가 있다.

16 theater

명 극장

What movie is playing at the _____?

극장에서 무슨 영화를 상영 중이니?

A 우리말은 영어로, 영어는 우리말로 쓰세요.

1 피곤한, 싫증 난 _____
2 비밀, 비결 _____
3 배경, 경력 _____
4 단서, 실마리 _____
5 열, 열병 _____
6 전망, 견해 _____
7 비어 있는, 빈 _____
8 환호; 환호하다 _____

9 fortune _____
10 stare _____
11 silly _____
12 fantasy _____
13 amazing _____
14 theater _____
15 exciting _____
16 strength _____

B 주어진 상자에서 알맞은 단어를 골라 문장을 완성하세요.

| exciting | cheered | theater | fever |

1 You have a high _____. 너는 열이 높아.

2 Tonight's baseball game was really _____. 오늘 밤 야구 경기는 정말 흥미진진했다.

3 What movie is playing at the _____? 극장에서 무슨 영화를 상영 중이니?

4 The crowd _____ as he entered the stadium. 군중은 그가 경기장에 들어서자 환호했다.

C 영영풀이가 가리키는 말을 고르세요.

1 information that should not be told to others
① secret　　② clue　　③ cheer　　④ view

2 showing little thought or stupid in a childish way
① smart　　② silly　　③ exciting　　④ tired

3 the ability to do things that need a lot of effort
① fever　　② fortune　　③ strength　　④ fantasy

정답 p. 164

D 우리말 뜻을 보고, 문장을 완성하세요.

1 I love the _____ music in the movie. 나는 그 영화의 **배경** 음악을 무척 좋아한다.

2 I'd like a room with a nice _____. 저는 **전망**이 좋은 방을 원해요.

3 The country's economic growth is _____. 그 나라의 경제 성장은 **놀랍다**.

4 The killer didn't leave even one _____. 그 살인자는 단 하나의 **단서**도 남기지 않았다.

5 He _____ at me for a long time. 그는 한참 동안 나를 **빤히 쳐다보았다**.

6 _____ novels are popular with teens. **공상** 소설은 십 대 사이에서 인기가 있다.

7 Don't throw _____ cans on the street. **빈** 캔들을 길에 버리지 마라.

8 Henry was _____ of everything. Henry는 모든 것에 **실증이 났다**.

9 She got a job through good _____. 그녀는 **다행**히도 직장을 구했다.

누적 테스트 Unit 01~02의 단어입니다. 우리말 뜻에 맞는 영어 단어를 쓰세요.

1	사고, 재난	9	재산, 운
2	거짓말하다, 눕다	10	열, 열병
3	잘못, 단점	11	놀라운, 대단한
4	…와 결혼하다	12	극장
5	사막	13	단서, 실마리
6	위험	14	비어 있는, 빈
7	운동; 운동하다	15	빤히 쳐다보다
8	휴일, 휴가	16	전망, 견해

Unit 03

01 honest
[ánist]

ⓗ 정직한, 솔직한

> honest의 h는 묵음이라서 발음하지 않아요.

05 nation
[néiʃən]

ⓜ 국가

> country도 '국가'라는 뜻입니다.

02 injure
[índʒər]

ⓥ 부상을 입히다, 손상시키다

06 path
[pæθ]

ⓜ 길, 산책길

03 interesting
[íntərəstiŋ]

ⓗ 재미있는, 흥미로운

07 scream
[skri:m]

ⓥ 비명을 지르다
ⓜ 비명

04 lonely
[lóunli]

ⓗ 외로운, 쓸쓸한

08 alone
[əlóun]

ⓗ ⓟ 혼자, 홀로

사건 파일 #1 산책

뭔가 interesting한 일이 없을까?

일단 path를 따라 산책이나 하자.

방금 여자가 scream하는 소리 들었어?

까악~!!

빨리 가보자! 어딘가 injure 당했을지도 몰라.

단어를 쓰며 철자와 뜻을 외우세요.

⁰⁹smooth
[smuːð]
형 매끄러운

¹³waste
[weist]
동 낭비하다

¹⁰swallow
[swάlou]
동 (음식을) 삼키다

¹⁴spoil
[spɔil]
동 망치다, 못쓰게 만들다

¹¹trick
[trik]
명 장난, 비결
동 속이다

> Trick or treat! (과자를 안 주면 장난칠 거예요!)는 Halloween (할로윈) 축제에 아이들이 외치는 말이에요.

¹⁵final
[fάinl]
형 마지막의, 최종의

¹²upset
[ʌpsét]
형 속상한, 화가 난

¹⁶custom
[kʌ́stəm]
명 관습, 풍습

01 honest　형 정직한, 솔직한

Please give me an ⬚⬚⬚⬚⬚ answer.
저에게 솔직한 답을 해 주세요.

02 injure
- injured - injured
동 부상을 입히다, 손상시키다

The cat ⬚⬚⬚⬚⬚d its leg.
그 고양이는 다리를 다쳤다.

03 interesting　형 재미있는, 흥미로운

Let's do something ⬚⬚⬚⬚⬚!
뭔가 재미있는 일을 하재!

04 lonely　형 외로운, 쓸쓸한

Don't feel ⬚⬚⬚⬚⬚. I'm always with you.
외로워하지 마. 내가 항상 너와 함께 있잖아.

05 nation　명 국가

The president is visiting Asian ⬚⬚⬚⬚⬚s.
대통령은 아시아 국가들을 방문중이다.

06 path　명 길, 산책길

We walked on a ⬚⬚⬚⬚⬚ through the forest.
우리는 숲을 통과하는 길을 걸었다.

07 scream
- screamed
- screamed
동 비명을 지르다
명 비명

I ⬚⬚⬚⬚⬚ed and everyone stared at me.
내가 비명을 지르자 모두가 나를 빤히 쳐다보았다.

A ⬚⬚⬚⬚⬚ came from the empty
house.　비명이 빈 집에서 들려왔다.

08 alone　형 부 혼자, 홀로

You are not ⬚⬚⬚⬚⬚. Cheer up!
당신은 혼자가 아니에요. 힘내세요!

09 **smooth** 형 매끄러운

Her skin is clear and _____.

그녀의 피부는 깨끗하고 매끄럽다.

10 **swallow**
- swallowed
- swallowed

동 (음식을) 삼키다

Put the pill in your mouth and _____ it.

알약을 입에 넣고 삼켜라.

11 **trick**
- tricked - tricked

명 장난, 비결
동 속이다

The kids played _____ s on their teacher.

아이들은 선생님에게 장난을 쳤다.

The seller was trying to _____ me.

그 판매자는 나를 속이려고 했다.

12 **upset** 형 속상한, 화가 난

She was very _____ because she lost her wallet.

그녀는 지갑을 잃어버려서 매우 속상했다.

13 **waste**
- wasted - wasted

동 낭비하다

Don't _____ your time on games.

게임에 시간을 낭비하지 마.

14 **spoil**
- spoiled - spoiled

동 망치다, 못쓰게 만들다

The bad news _____ ed my day.

그 나쁜 소식이 내 하루를 망쳤다.

15 **final** 형 마지막의, 최종의

The judge made his _____ decision.

판사가 마지막 결정을 내렸다.

16 **custom** 명 관습, 풍습

Every country has its own _____ s.

모든 나라는 그 나라 고유의 관습들을 가지고 있다.

학습한 단어 확인하기

A 우리말은 영어로, 영어는 우리말로 쓰세요.

1 정직한, 솔직한 _____
2 부상을 입히다 _____
3 관습, 풍습 _____
4 비명을 지르다 _____
5 장난; 속이다 _____
6 망치다 _____
7 (음식을) 삼키다 _____
8 혼자, 홀로 _____

9 nation _____
10 final _____
11 smooth _____
12 interesting _____
13 path _____
14 upset _____
15 lonely _____
16 waste _____

B 주어진 상자에서 알맞은 단어를 골라 문장을 완성하세요.

alone   path   injured   swallow

1 The cat _____ its leg. 그 고양이는 다리를 다쳤다.
2 Put the pill in your mouth and _____ it. 알약을 입에 넣고 삼켜라.
3 You're not _____. Cheer up! 당신은 혼자가 아니에요. 힘내세요!
4 We walked on a _____ through the forest. 우리는 숲을 통과하는 길을 걸었다.

C 영영풀이가 가리키는 말을 고르세요.

1 to use too much of something or use something badly
① injure   ② waste   ③ swallow   ④ scream

2 unusual, exciting or having a lot of ideas
① smooth   ② silly   ③ honest   ④ interesting

3 unhappy because you are not with other people
① upset   ② tired   ③ lonely   ④ final

정답 p. 164

D 우리말 뜻을 보고, 문장을 완성하세요.

1 Please give me an _____ answer. 저에게 **솔직한** 답을 해주세요.

2 The president is visiting Asian _____. 대통령은 아시아 **국가들을** 방문중이다.

3 I _____ and everyone stared at me. 내가 **비명을 지르자** 모두가 나를 빤히 쳐다보았다.

4 The bad news _____ my day. 그 나쁜 소식이 내 하루를 **망쳤다**.

5 Her skin is clear and _____. 그녀의 피부는 깨끗하고 **매끄럽다**.

6 The kids played _____ on their teacher. 아이들은 선생님에게 **장난**을 쳤다.

7 Every country has its own _____. 모든 나라는 그 나라 고유의 **관습들**을 가지고 있다.

8 The judge made his _____ decision. 판사가 **마지막** 결정을 내렸다.

9 She was very _____ because she lost her wallet.
그녀는 지갑을 잃어버려서 매우 **속상했다**.

누적 테스트 Unit 02~03의 단어입니다. 우리말 뜻에 맞는 영어 단어를 쓰세요.

1	비밀, 비결	9	매끄러운
2	배경, 경력	10	속상한, 화가 난
3	어리석은, 바보 같은	11	망치다
4	힘, 강도	12	정직한, 솔직한
5	환호; 환호하다	13	국가
6	피곤한, 싫증 난	14	관습, 풍습
7	공상, 상상	15	장난, 비결; 속이다
8	신 나는, 흥미진진한	16	비명을 지르다; 비명

Unit 04

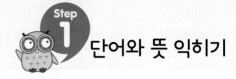
01 deaf
[def]
형 귀가 먼, 청각 장애의

05 project
[prádʒekt]
명 기획, 과제

02 dessert
[dizə́ːrt]
명 디저트, 후식

> dessert(사막)와 철자를 혼동하기 쉬우니 주의하세요.

06 doubt
[daut]
명 의심, 의혹
동 의심하다

> doubt의 b는 발음하지 않는 묵음이에요.

03 offer
[ɔ́ːfər]
동 제안하다, 제공하다
명 제안

07 guess
[ges]
동 추측하다, 생각하다
명 추측

04 freedom
[fríːdəm]
명 자유

08 earn
[əːrn]
동 (돈을) 벌다, 획득하다

셜록과 존의 티격태격

dessert로 케이크가 어떨까?

아냐, 내가 다른 offer를 하지. 여기서는 아이스크림이 최고야.

음… 그 말에 doubt이 생기는데? 진짜야?

못 믿겠거든 다른 카페의 아이스크림도 다 먹어보자!

✍ 단어를 쓰며 철자와 뜻을 외우세요.

09 enemy
[énəmi]
명 적, 원수

13 drug
[drʌg]
명 약, 의약품

> drug 뒤에 store(가게)를 붙이면 drugstore(약국)라는 말이 되지요.

10 devil
[dévəl]
명 악마, 말썽꾸러기

14 powerful
[páuərfəl]
형 강력한, 영향력 있는

11 experience
[ikspíəriəns]
명 경험
동 경험하다

15 scene
[si:n]
명 장면, 광경

12 local
[lóukəl]
형 지역의, 현지의

16 equal
[í:kwəl]
형 같은, 평등한

01 deaf

형 귀가 먼, 청각 장애의

Sign language is a language for [_____] people.

수화는 청각 장애인을 위한 언어이다.

02 dessert

명 디저트, 후식

I'll have some ice cream for [_____].

나는 후식으로 아이스크림을 먹겠다.

03 offer
- offered - offered

동 제안하다, 제공하다
명 제안

They [_____]ed him a job.

그들은 그에게 일자리를 제안했다.

Can I make you an [_____]?

제가 제안을 하나 해도 될까요?

04 freedom

명 자유

We have the [_____] of choice.

우리는 선택의 자유가 있다.

05 project

명 기획, 과제

We started a new [_____].

우리는 새로운 기획을 시작했다.

06 doubt
- doubted - doubted

명 의심, 의혹
동 의심하다

Some people still have [_____]s about the plan. 일부 사람들은 여전히 그 계획에 대해 의심을 가지고 있다.

I don't [_____] that he will win first prize.

나는 그가 일등을 할 것을 의심하지 않는다.

07 guess
- guessed - guessed

동 추측하다, 생각하다
명 추측

Can you [_____] my age?

내 나이를 맞혀 볼래?

As I didn't know the answer, I made a [_____].

답을 알지 못해서 나는 추측을 했다.

08 earn
- earned - earned

동 (돈을) 벌다, 획득하다

She [_____]ed lots of money. 그녀는 많은 돈을 벌었다.

복수형으로 쓰세요

⁰⁹ **enemy**
- enemies

몡 적, 원수

He doesn't have many   .

그는 적이 많지 않다.

¹⁰ **devil**

몡 악마, 말썽꾸러기

Sometimes, the boys can be little   s.

때때로 그 소년들은 작은 말썽꾸러기들이 될 수 있다.

¹¹ **experience**
- experienced
- experienced

몡 경험
동 경험하다

We all learn by   .

우리는 모두 경험을 통해 배운다.

They   d financial difficulties.

그들은 재정적인 어려움을 경험했다.

¹² **local**

형 지역의, 현지의

We went to a   market to buy food.

우리는 음식을 사기 위해 지역 시장에 갔다.

¹³ **drug**

몡 약, 의약품

Don't worry. The   is safe.

걱정하지 마. 그 약은 안전해.

¹⁴ **powerful**

형 강력한, 영향력 있는

He speaks in a   voice.

그는 힘찬 목소리로 말을 한다.

¹⁵ **scene**

몡 장면, 광경

The final   in the movie was so romantic.

그 영화의 마지막 장면은 정말 낭만적이었다.

¹⁶ **equal**

형 같은, 평등한

There is an   number of boys and girls in the class. 그 학급에는 같은 수의 남학생과 여학생이 있다.

A 우리말은 영어로, 영어는 우리말로 쓰세요.

1 의심; 의심하다 _____
2 지역의, 현지의 _____
3 자유 _____
4 귀가 먼 _____
5 적, 원수 _____
6 디저트, 후식 _____
7 약, 의약품 _____
8 (돈을) 벌다 _____

9 experience _____
10 offer _____
11 devil _____
12 scene _____
13 guess _____
14 equal _____
15 powerful _____
16 project _____

B 주어진 상자에서 알맞은 단어를 골라 문장을 완성하세요.

| scene | guess | dessert | deaf |

1 Can you _____ my age? 내 나이를 맞혀 볼래?
2 I'll have some ice cream for _____. 나는 후식으로 아이스크림을 먹겠다.
3 The final _____ in the movie was so romantic.
그 영화의 마지막 장면은 정말 낭만적이었다.
4 Sign language is a language for _____ people. 수화는 청각 장애인을 위한 언어이다.

C 영영풀이가 가리키는 말을 고르세요.

1 relating to a particular place
① equal　② powerful　③ deaf　④ local

2 the condition of being able to do, say or think whatever you want to
① guess　② freedom　③ offer　④ experience

3 any material that is used as a medicine
① drug　② doubt　③ enemy　④ scene

정답 p. 165

D 우리말 뜻을 보고, 문장을 완성하세요.

1 She _____ lots of money. 그녀는 많은 돈을 **벌었다**.

2 We started a new _____. 우리는 새로운 **기획**을 시작했다.

3 I don't _____ that he will win first prize. 나는 그가 일등을 할 것을 **의심하지** 않는다.

4 We all learn by _____. 우리는 모두 **경험**을 통해 배운다.

5 They _____ him a job. 그들은 그에게 일자리를 **제안했다**.

6 He doesn't have many _____. 그는 **적**이 많지 않다.

7 He speaks in a _____ voice. 그는 **힘찬** 목소리로 말한다.

8 Sometimes, the boys can be little _____. 때때로 그 소년들은 작은 **말썽꾸러기들**이 될 수 있다.

9 There is an _____ number of boys and girls in the class.
그 학급에는 **같은** 수의 남학생과 여학생이 있다.

누적 테스트 — Unit 03~04의 단어입니다. 우리말 뜻에 맞는 영어 단어를 쓰세요.

1	마지막의, 최종의	9	의심; 의심하다
2	길, 산책길	10	(돈을) 벌다, 획득하다
3	부상을 입히다	11	적, 원수
4	혼자, 홀로	12	자유
5	재미있는, 흥미로운	13	추측하다; 추측
6	외로운, 쓸쓸한	14	경험; 경험하다
7	낭비하다	15	귀가 먼, 청각 장애의
8	(음식을) 삼키다	16	강력한, 영향력 있는

접사별 어휘

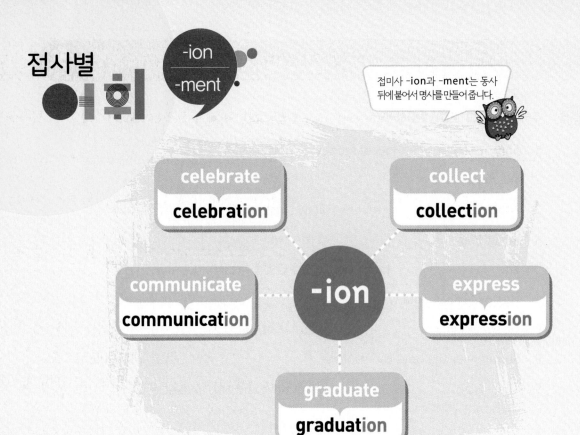

-ion
-ment

접미사 -ion과 -ment는 동사 뒤에 붙어서 명사를 만들어 줍니다.

celebrate
celebration

collect
collection

communicate
communication

-ion

express
expression

graduate
graduation

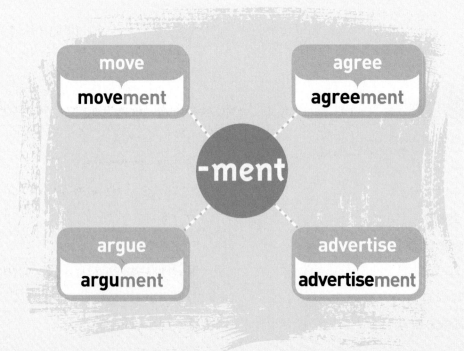

move
movement

agree
agreement

-ment

argue
argument

advertise
advertisement

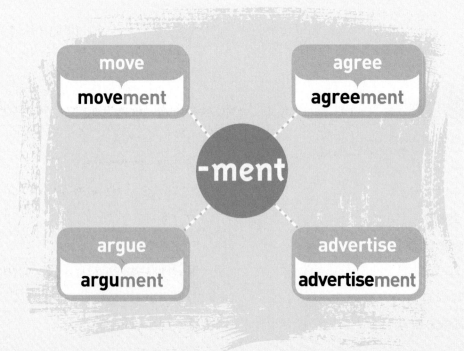

01 celebration 명 축하

There was a New Year's Eve _____ in the square. 광장에서 새해 전야 행사가 열렸다.

02 collection 명 수집품, 수집

He has a big _____ of old coins.

그는 오래된 동전을 많이 소장하고 있다.

03 communication 명 의사소통

_____ between parents and children is important. 부모와 자식 간의 의사소통은 중요하다.

04 expression 명 표현, 표정

Her _____ changed from surprise to anger.

그녀의 표정은 놀람에서 분노로 바뀌었다.

05 graduation 명 졸업

My grandparents gave a _____ gift to me.

나의 조부모님은 나에게 졸업 선물을 주셨다.

06 movement 명 움직임, 동작

The dancer's _____s were graceful.

그 무용수의 동작들은 우아했다.

07 agreement 명 협정, 동의

The two countries made a trade _____.

그 두 나라는 무역 협정을 맺었다.

08 argument 명 언쟁, 다툼

My parents rarely have an _____.

우리 부모님은 거의 다투시지 않는다.

09 advertisement 명 광고

Why don't you put an _____ in the newspaper? 신문에 광고를 내는 게 어때요?

Unit 05

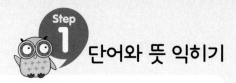

Step 1 단어와 뜻 익히기

01 **total**
[tóutl]
형 전체의, 완전한
명 합계

05 **polite**
[pəláit]
형 예의 바른, 공손한

02 **surprise**
[sərpráiz]
명 놀라움
동 놀라게 하다

06 **able**
[éibl]
형 …할 수 있는

be able to는 '…할 수 있다'라는 뜻이에요.

03 **alarm**
[əlɑ́:rm]
명 놀람, 경보, 자명종

07 **donate**
[dóuneit]
동 기부하다, 기증하다

04 **fasten**
[fǽsən]
동 단단히 고정시키다, 매다

fasten에서 t는 묵음이라서 발음하지 않아요.

08 **balance**
[bǽləns]
명 균형, 평형

사건 파일 #2 침입자가 나타났다!

이 alarm은? 앗, 침입자다! 존, 출동이야!
Sherlock Holmes
완전 surprise네.
안전벨트 꽉 fasten해!
알았으니까 balance 좀 맞춰서 달려!

단어를 쓰며 철자와 뜻을 외우세요.

09 cost
[kɔːst]
- 명 값, 비용
- 동 (비용이) 들다

10 deal
[diːl]
- 명 거래
- 동 다루다, 처리하다

> '…을 다루다, 처리하다'라는 의미로 쓰일 때는 **deal with**로 써요.

11 error
[érər]
- 명 실수, 오류

12 cruel
[krúːəl]
- 형 잔인한, 끔찍한

13 force
[fɔːrs]
- 명 힘, 군사력
- 동 강요하다

14 difficulty
[dífikʌlti]
- 명 어려움

> 형용사 difficult에 접미사 -y를 붙이면 명사 difficulty가 됩니다.

15 afraid
[əfréid]
- 형 두려워하는, 걱정하는

16 refuse
[rifjúːz]
- 동 거절하다, 거부하다

01 total

형 전체의, 완전한
명 합계

The _____ number of people in the room is 20. 이 방에 있는 전체 사람 수는 20명이다.

In _____, we spent 50 hours on the project.
전부 합쳐 우리는 그 프로젝트에 50시간을 썼다.

02 surprise
- surprised
- surprised

명 놀라움
동 놀라게 하다

To everyone's _____, he passed the test.
모두가 놀랍게도 그는 시험에 합격했다.

The sudden accident _____d us.
갑작스러운 사고는 우리를 놀라게 했다.

03 alarm

명 놀람, 경보, 자명종

My _____ didn't go off this morning.
오늘 아침에 내 자명종이 울리지 않았다.

04 fasten
- fastened - fastened

동 단단히 고정시키다, 매다

_____ your seat belt, please.
안전 벨트를 매세요.

05 polite

형 예의 바른, 공손한

Eric is always _____ to everyone.
Eric은 항상 모두에게 예의 바르다.

06 able

형 …할 수 있는

I'll be _____ to get all As in school.
나는 학교에서 전과목 A를 받을 수 있을 거야.

07 donate
- donated - donated

동 기부하다, 기증하다

He _____d thousands of dollars to a charity.
그는 자선단체에 수천 달러를 기부했다.

08 balance

명 균형, 평형

Lucy lost her _____ and fell down.
Lucy는 균형을 잃고 넘어졌다.

09 cost
- cost - cost

- 명 값, 비용
- 동 (비용이) 들다

The _____ of living has risen.
생활비가 상승했다.

Tickets _____ five dollars each.
표는 한 장에 5달러이다.

10 deal
- dealt - dealt

- 명 거래
- 동 다루다, 처리하다

We got a fair _____.
우리는 공평한 거래를 했다.

I'm going to _____ with the problem
tomorrow.   난 그 문제를 내일 처리할 거야.

11 error

- 명 실수, 오류

There are too many _____ s in your work.
네 일에는 실수가 너무 많아.

12 cruel

- 형 잔인한, 끔찍한

Hunting for fun is _____.
재미로 사냥을 하는 것은 잔인하다.

13 force
- forced - forced

- 명 힘, 군사력
- 동 강요하다

The _____ of gravity is weak on the moon.
달에서는 중력이 약하다.

Don't _____ him to eat more.
그에게 더 먹으라고 강요하지 마.

14 difficulty
- difficulties

- 명 어려움

I have _____ speaking in public.
나는 사람들 앞에서 말하는 데 어려움이 있다.

15 afraid

- 형 두려워하는, 걱정하는

Are you _____ of ghosts?
너는 유령이 무섭니?

16 refuse
- refused - refused

- 동 거절하다, 거부하다

She _____ d to answer any questions.
그녀는 어떤 질문에도 답하기를 거부했다.

A 우리말은 영어로, 영어는 우리말로 쓰세요.

1 단단히 고정시키다 _____

2 거래; 다루다 _____

3 기부하다, 기증하다 _____

4 균형, 평형 _____

5 힘; 강요하다 _____

6 어려움 _____

7 거절하다, 거부하다 _____

8 비용; (비용이) 들다 _____

9 total _____

10 cruel _____

11 polite _____

12 afraid _____

13 surprise _____

14 able _____

15 alarm _____

16 error _____

B 주어진 상자에서 알맞은 단어를 골라 문장을 완성하세요.

| cruel | alarm | cost | difficulty |

1 My _____ didn't go off this morning. 오늘 아침에 내 자명종이 울리지 않았다.

2 Hunting for fun is _____. 재미로 사냥을 하는 것은 잔인하다.

3 I have _____ speaking in public. 나는 사람들 앞에서 말하는 데 어려움이 있다.

4 Tickets _____ five dollars each. 표는 한 장에 5달러이다.

C 영영풀이가 가리키는 말을 고르세요.

1 physical strength or power

① alarm ② force ③ balance ④ error

2 feeling fear or worry about possible results

① able ② cruel ③ polite ④ afraid

3 to give money or food in order to help a person or organization

① donate ② surprise ③ deal ④ cost

정답 p. 165

D 우리말 뜻을 보고, 문장을 완성하세요.

1 The sudden accident _____ us. 갑작스러운 사고는 우리를 **놀라게 했다.**

2 Eric is always _____ to everyone. Eric은 항상 모두에게 **예의 바르다.**

3 Lucy lost her _____ and fell down. Lucy는 **균형**을 잃고 넘어졌다.

4 I'll be _____ to get all As in school. 나는 학교에서 전과목 A를 **받을 수 있을** 거야.

5 _____ your seat belt, please. 안전 벨트를 **매세요.**

6 I'm going to _____ with the problem tomorrow. 난 그 문제를 내일 **처리할** 거야.

7 There are too many _____ in your work. 네 일에는 **실수**가 너무 많아.

8 She _____ to answer any questions. 그녀는 어떤 질문에도 답하기를 **거부했다.**

9 The _____ number of people in the room is 20. 이 방에 있는 **전체** 사람 수는 20명이다.

누적 테스트 Unit 04~05의 단어입니다. 우리말 뜻에 맞는 영어 단어를 쓰세요.

1	지역의, 현지의	9	어려움
2	제안하다; 제안	10	거절하다, 거부하다
3	약, 의약품	11	두려워하는, 걱정하는
4	악마, 말썽꾸러기	12	기부하다, 기증하다
5	같은, 평등한	13	잔인한, 끔찍한
6	기획, 과제	14	실수, 오류
7	디저트, 후식	15	전체의, 완전한
8	장면, 광경	16	예의 바른, 공손한

Unit 06

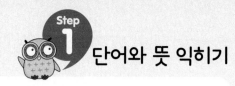

01 riddle
[rídl]
⑲ 수수께끼

05 deliver
[dilívər]
⑧ 배달하다

> deliver 뒤에 접미사 -y 를 붙이면 delivery(배달)라는 명사가 돼요.

02 crash
[kræʃ]
⑧ 충돌하다, 박살나다
⑲ 충돌, 추락

06 scare
[skɛər]
⑧ 겁주다, 겁먹다

03 stadium
[stéidiəm]
⑲ 경기장, 스타디움

07 scratch
[skrætʃ]
⑧ 긁다, 할퀴다
⑲ 긁힌 자국, 긁기

04 society
[səsáiəti]
⑲ 사회

08 strike
[straik]
⑧ 치다, 충돌하다

단어를 쓰며 철자와 뜻을 외우세요.

⁰⁹ **flag**
[flæg]

명 기, 깃발

¹³ **tool**
[tu:l]

명 도구, 연장

¹⁰ **bless**
[bles]

동 축복하다

> 미국에서 재채기를 하는 사람에게 "Bless you! (몸조심하세요!)"라고 말합니다.

¹⁴ **present**
[préznt]

형 현재의, 참석한
명 선물

¹¹ **serve**
[səːrv]

동 섬기다,
(음식을) 제공하다

¹⁵ **rate**
[reit]

명 속도, 비율

¹² **dumb**
[dʌm]

형 멍청한, 말을 못하는

> dum<u>b</u>에서 철자 b는 묵음으로 발음하지 않아요.

¹⁶ **slave**
[sleiv]

명 노예

01 **riddle**
명 수수께끼

Let me ask you a [   ].
내가 수수께끼를 하나 낼게.

02 **crash**
- crashed - crashed
동 충돌하다, 박살나다
명 충돌, 추락

He [   ]ed his car into the wall.
그는 자신의 차를 벽에 부딪쳤다.

Mr. Black was hurt in the [   ].
Black 씨는 충돌 사고로 다쳤다.

03 **stadium**
명 경기장, 스타디움

The [   ] is full of soccer fans.
경기장은 축구 팬들로 가득 찼다.

04 **society**
- societies
명 사회

Each [   ] has its own rules.
사회마다 각각의 규칙이 있다.

05 **deliver**
- delivered - delivered
동 배달하다

The man [   ]s milk to my house.
그 남자는 우리 집에 우유를 배달한다.

06 **scare**
- scared - scared
동 겁주다, 겁먹다

It [   ]s me to try new things.
나는 새로운 일을 시도하는 것에 겁을 먹는다.

07 **scratch**
- scratched
- scratched
동 긁다, 할퀴다
명 긁힌 자국, 긁기

Does the cat [   ] people?
그 고양이는 사람들을 할퀴니?

It's only a [   ].
그냥 긁힌 자국일 뿐이야.

불규칙 과거형으로 쓰세요

08 **strike**
- struck - stricken
동 치다, 충돌하다

He [   ] the ball with his bat.
그는 배트로 공을 쳤다.

09 flag
몡 기, 깃발

The Korean national _____ is called Taegeukgi. 한국의 국기는 태극기라고 불린다.

10 bless
- blessed - blessed
동 축복하다

The priest _____ed the baby.
성직자가 그 아기를 축복했다.

11 serve
- served - served
동 섬기다, (음식을) 제공하다

Breakfast is _____d between 7 and 10 a.m.
아침 식사는 오전 7시에서 10시 사이에 제공된다.

12 dumb
뎡 멍청한, 말을 못하는

What a _____ idea!
정말 바보 같은 생각이구나!

13 tool
몡 도구, 연장

I used a _____ to fix the bicycle.
나는 자전거를 고치기 위해 공구를 사용했다.

14 present
뎡 현재의, 참석한
몡 선물

Who is the _____ owner of the house?
그 집의 현재 주인은 누구인가요?

Judy was _____ at the meeting.
Judy는 모임에 참석했다.

Thank you for the nice _____.
좋은 선물 고마워.

15 rate
몡 속도, 비율

People usually walk at a _____ of 5 kilometers an hour. 사람들은 보통 시간당 5km의 속도로 걷는다.

16 slave
몡 노예

He worked like a _____.
그는 노예처럼 일을 했다.

A 우리말은 영어로, 영어는 우리말로 쓰세요.

1	노예	_____	9 riddle	_____
2	긁다; 긁힌 자국	_____	10 tool	_____
3	사회	_____	11 stadium	_____
4	기, 깃발	_____	12 present	_____
5	축복하다	_____	13 crash	_____
6	겁주다, 겁먹다	_____	14 dumb	_____
7	배달하다	_____	15 serve	_____
8	속도, 비율	_____	16 strike	_____

B 주어진 상자에서 알맞은 단어를 골라 문장을 완성하세요.

struck	tool	present	scratch

1 He _____ the ball with his bat. 그는 배트로 공을 쳤다.

2 Does the cat _____ people? 그 고양이는 사람들을 할퀴니?

3 Thank you for the nice _____. 좋은 선물 고마워.

4 I used a _____ to fix the bicycle. 나는 자전거를 고치기 위해 공구를 사용했다.

C 영영풀이가 가리키는 말을 고르세요.

1 stupid and annoying or unable to speak
　① present　　② cruel　　③ dumb　　④ afraid

2 to take something to a person or place
　① scare　　② serve　　③ deliver　　④ strike

3 a piece of cloth that has a pattern which represents a country or a group
　① riddle　　② flag　　③ stadium　　④ rate

D 우리말 뜻을 보고, 문장을 완성하세요.

1 Breakfast is _____ between 7 and 10 a.m. 아침 식사는 오전 7시에서 10시 사이에 **제공된다.**

2 It _____ me to try new things. 나는 새로운 일을 시도하는 것에 **겁을 먹는다.**

3 Each _____ has its own rules. **사회**마다 각각의 규칙이 있다.

4 He worked like a _____. 그는 **노예**처럼 일했다.

5 Let me ask you a _____. 내가 **수수께끼**를 하나 낼게.

6 The _____ is full of soccer fans. **경기장**은 축구 팬들로 가득 찼다.

7 He _____ his car into the wall. 그는 자신의 차를 벽에 **부딪쳤다.**

8 The priest _____ the baby. 성직자가 그 아기를 **축복했다.**

9 People usually walk at a _____ of 5 kilometers an hour.
사람들은 보통 시간당 5km의 **속도**로 걷는다.

누적 테스트 Unit 05~06의 단어입니다. 우리말 뜻에 맞는 영어 단어를 쓰세요.

1	…할 수 있는	9	배달하다
2	비용; (비용이) 들다	10	속도, 비율
3	놀람, 경보, 자명종	11	치다, 충돌하다
4	단단히 고정시키다	12	박살나다; 충돌
5	균형, 평형	13	긁다; 긁힌 자국
6	힘, 군사력; 강요하다	14	도구, 연장
7	놀라움; 놀라게 하다	15	멍청한, 말을 못하는
8	거래; 다루다	16	수수께끼

01 spread
[spred]
동 펴다, 퍼지다

05 discover
[diskʌ́vər]
동 발견하다, 깨닫다

02 wealth
[welθ]
명 부, 재산

06 figure
[fígjər]
명 모습, 숫자, 인물

> 운동 종목 중 figure skating (피겨 스케이팅)은 스케이트를 신고 빙상 위에 도형을 그리듯 움직인다고하여 붙여진 이름입니다.

03 throat
[θrout]
명 목, 목구멍

07 selfish
[sélfiʃ]
형 이기적인

04 celebrate
[séləbrèit]
동 기념하다, 축하하다

08 trash
[træʃ]
명 쓰레기

> garbage, waste도 '쓰레기'라는 뜻이에요.

사건 파일 #3 진짜 탐정은 누구? (2)

단어를 쓰며 철자와 뜻을 외우세요.

⁰⁹valley
[væli]

⒨ 계곡, 골짜기

¹³effort
[éfərt]

⒨ 노력, 수고

¹⁰succeed
[səksíːd]

⒨ 성공하다

¹⁴treat
[triːt]

⒨ 대하다, 치료하다

¹¹anxious
[ǽŋkʃəs]

⒨ 걱정하는, 갈망하는

¹⁵familiar
[fəmíljər]

⒨ 익숙한, 친한

¹²task
[tæsk]

⒨ 일, 직무

¹⁶weapon
[wépən]

⒨ 무기

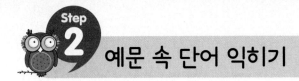

Step 2 예문 속 단어 익히기

01 spread
- spread - spread

동 펴다, 퍼지다

_____ a white cloth on the table.

탁자 위에 흰 천을 깔아라.

불규칙 과거형으로 쓰세요.

The rumor _____ quickly.

그 소문은 빨리 퍼졌다.

02 wealth

명 부, 재산

He gained a great amount of _____ .

그는 많은 재산을 모았다.

03 throat

명 목, 목구멍

I have a sore _____ .

나는 목이 아파요.

04 celebrate
- celebrated
- celebrated

동 기념하다, 축하하다

We _____ d Jake's 15th birthday.

우리는 Jake의 15번째 생일을 축하해 주었다.

05 discover
- discovered
- discovered

동 발견하다, 깨닫다

The scientists have _____ ed a new element.

그 과학자들은 새로운 원소를 발견했다.

06 figure

명 모습, 숫자, 인물

Write the _____ "5" on the board.

칠판에 숫자 '5'를 써라.

She is one of the most powerful _____ s

in the company.   그녀는 회사에서 가장 권력 있는 인물 가운데 하나이다.

07 selfish

형 이기적인

The _____ boy didn't share his toys.

그 이기적인 소년은 자신의 장난감을 나눠 쓰지 않았다.

08 trash

명 쓰레기

There is a lot of _____ in the river.

강에는 쓰레기가 많이 있다.

09 valley
- valleys

(명) 계곡, 골짜기

We walked down along the _____.

우리는 계곡을 따라 걸어 내려갔다.

10 succeed
- succeeded
- succeeded

(동) 성공하다

My brother _____ed in business.

우리 형은 사업에서 성공을 거두었다.

11 anxious

(형) 걱정하는, 갈망하는

She is _____ about the test results.

그녀는 시험 결과가 걱정된다.

12 task

(명) 일, 직무

I cannot finish this _____ alone.

나는 이 일을 혼자 끝낼 수 없다.

13 effort

(명) 노력, 수고

You should put more _____ into your work.

너는 네 일에 더 많은 노력을 기울여야 해.

14 treat
- treated - treated

(동) 대하다, 치료하다

My parents _____ me like a child.

우리 부모님은 나를 아이처럼 대하신다.

The doctor _____ed me for a broken arm.

의사는 나의 부러진 팔을 치료했다.

15 familiar

(형) 익숙한, 친한

You look _____. Do I know you?

당신은 낯이 익어요. 제가 아는 분인가요?

16 weapon

(명) 무기

Nuclear _____s are very dangerous.

핵무기들은 매우 위험하다.

A 우리말은 영어로, 영어는 우리말로 쓰세요.

1 목, 목구멍 _____

2 이기적인 _____

3 성공하다 _____

4 대하다, 치료하다 _____

5 무기 _____

6 계곡, 골짜기 _____

7 펴다, 퍼지다 _____

8 기념하다, 축하하다 _____

9 familiar _____

10 task _____

11 trash _____

12 discover _____

13 figure _____

14 wealth _____

15 anxious _____

16 effort _____

B 주어진 상자에서 알맞은 단어를 골라 문장을 완성하세요.

trash	celebrated	figure	treated

1 Write the _____ "5" on the board. 칠판에 숫자 '5'를 써라.

2 There is a lot of _____ in the river. 강에는 쓰레기가 많이 있다.

3 The doctor _____ me for a broken arm. 의사는 나의 부러진 팔을 치료했다.

4 We _____ Jake's 15th birthday. 우리는 Jake의 15번째 생일을 축하해 주었다.

C 영영풀이가 가리키는 말을 고르세요.

1 a piece of work that has to be done

① valley ② crash ③ wealth ④ task

2 taking care of oneself without thinking about others

① selfish ② anxious ③ familiar ④ dumb

3 anything used in fighting or war, such as a knife, gun, bomb, etc.

① trash ② figure ③ weapon ④ throat

정답 p. 166

D 우리말 뜻을 보고, 문장을 완성하세요.

1 _____ a white cloth on the table. 탁자 위에 흰 천을 **깔아라**.

2 She is _____ about the test results. 그녀는 시험 결과가 **걱정된다**.

3 The scientists have _____ a new element. 그 과학자들은 새로운 원소를 **발견했다**.

4 My brother _____ in business. 우리 형은 사업에서 **성공을 거두었다**.

5 He gained a great amount of _____. 그는 많은 **재산**을 모았다.

6 You should put more _____ into your work. 너는 네 일에 더 많은 **노력**을 기울여야 해.

7 We walked down along the _____. 우리는 **계곡**을 따라 걸어 내려갔다.

8 I have a sore _____. 나는 **목**이 아파요

9 You look _____. Do I know you? 당신은 **낯이 익어요**. 제가 아는 분인가요?

누적 테스트 Unit 06~07의 단어입니다. 우리말 뜻에 맞는 영어 단어를 쓰세요.

1	겁주다, 겁먹다	9	무기
2	사회	10	일, 직무
3	노예	11	이기적인
4	기, 깃발	12	익숙한, 친한
5	축복하다	13	걱정하는, 갈망하는
6	현재의, 참석한; 선물	14	노력, 수고
7	경기장, 스타디움	15	펴다, 퍼지다
8	(음식을) 제공하다	16	발견하다, 깨닫다

Unit 08

⁰¹ **frighten**
[fráitn]

동 몹시 놀라게 하다, 겁을 주다

⁰⁵ **trust**
[trʌst]

명 신뢰
동 신뢰하다, 믿다

⁰² **grain**
[grein]

명 곡물, 낟알

⁰⁶ **neighborhood**
[néibərhùd]

명 근처, 이웃

neighbor는 '이웃 사람' 이라는 뜻입니다.

⁰³ **honor**
[ánər]

명 명예, 영광

⁰⁷ **temple**
[témpl]

명 사원, 절

⁰⁴ **narrow**
[nǽrou]

형 좁은, 편협한

⁰⁸ **route**
[ru:t]

명 길, 경로

버스 노선은 bus route, 항공 노선은 air route라 고 해요.

사건 파일 #3 진짜 탐정은 누구? (3)

오늘 neighborhood를 상대로 수사를 하다.

내 honor를 걸고 범인을 잡고야 말겠어!

개가 저 narrow한 길로 가는데? 범인의 냄새를 맡았나 봐! 따라가 보자!

저긴 시내로 가는 route잖아?

🖐 단어를 쓰며 철자와 뜻을 익우세요.

⁰⁹**vote**
[vout]

> 명 투표, 선거권
> 동 투표하다

¹³**talent**
[tǽlənt]

> 명 재능, 재주

¹⁰**reject**
[ridʒékt]

> 동 거절하다, 거부하다

¹⁴**square**
[skwɛər]

> 명 정사각형, 광장

> 삼각형: triangle
> 직사각형: rectangle
> 오각형: pentagon

¹¹**remove**
[rimúːv]

> 동 치우다, 제거하다

¹⁵**respect**
[rispékt]

> 명 존경, 존중
> 동 존경하다

¹²**schedule**
[skédʒuːl]

> 명 일정, 스케줄

> 영국 사람들은 [ʃédjuːl]
> 이라고 읽어요.

¹⁶**servant**
[sə́ːrvənt]

> 명 하인, 종

01 frighten
- frightened
- frightened

동 몹시 놀라게 하다, 겁을 주다

The alnrm _____ed the students.

경보음은 학생들을 몹시 놀라게 했다.

02 grain

명 곡물, 낟알

We use only the best _____ to make bread.

우리는 최고의 곡물만을 사용하여 빵을 만듭니다.

03 honor

명 명예, 영광

It is a great _____ for me.

저에게 큰 영광입니다.

04 narrow

형 좁은, 편협한

The streets in this area are very _____.

이 지역의 도로들은 매우 좁다.

He has a _____ view of the world.

그는 세상에 대한 편협한 견해를 갖고 있다.

05 trust
- trusted - trusted

명 신뢰
동 신뢰하다, 믿다

It's hard to earn someone's _____.

누군가의 신뢰를 얻는 것은 힘들다.

Don't _____ everything you read.

당신이 읽는 것을 전부 신뢰하지는 마라.

06 neighborhood

명 근처, 이웃

Is there a drugstore in the _____?

이 근처에 약국이 있나요?

07 temple

명 사원, 절

Bulguksa is a beautiful _____ in Korea.

불국사는 한국의 아름다운 절이다.

08 route

명 길, 경로

What is the shortest _____ to New York from Boston? 보스턴에서 뉴욕으로 가는 가장 짧은 길은 무엇인가요?

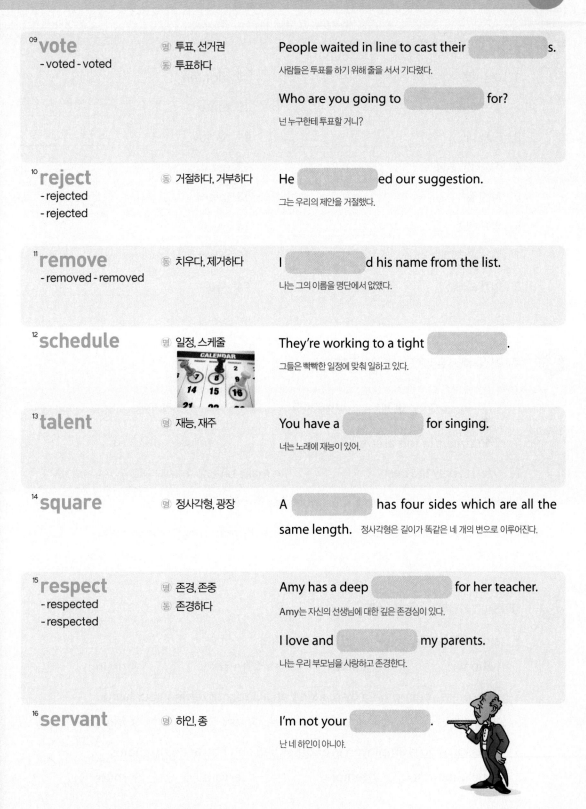

09 vote
- voted - voted

명 투표, 선거권
동 투표하다

People waited in line to cast their _____s.

사람들은 투표를 하기 위해 줄을 서서 기다렸다.

Who are you going to _____ for?

넌 누구한테 투표할 거니?

10 reject
- rejected
- rejected

동 거절하다, 거부하다

He _____ed our suggestion.

그는 우리의 제안을 거절했다.

11 remove
- removed - removed

동 치우다, 제거하다

I _____d his name from the list.

나는 그의 이름을 명단에서 없앴다.

12 schedule

명 일정, 스케줄

They're working to a tight _____.

그들은 빡빡한 일정에 맞춰 일하고 있다.

13 talent

명 재능, 재주

You have a _____ for singing.

너는 노래에 재능이 있어.

14 square

명 정사각형, 광장

A _____ has four sides which are all the same length.　정사각형은 길이가 똑같은 네 개의 변으로 이루어진다.

15 respect
- respected
- respected

명 존경, 존중
동 존경하다

Amy has a deep _____ for her teacher.

Amy는 자신의 선생님에 대한 깊은 존경심이 있다.

I love and _____ my parents.

나는 우리 부모님을 사랑하고 존경한다.

16 servant

명 하인, 종

I'm not your _____.

난 네 하인이 아니야.

학습한 단어 확인하기

A 우리말은 영어로, 영어는 우리말로 쓰세요.

1 하인, 종 _____

2 좁은, 편협한 _____

3 근처, 이웃 _____

4 정사각형, 광장 _____

5 사원, 절 _____

6 명예, 영광 _____

7 존경; 존경하다 _____

8 일정, 스케줄 _____

9 frighten _____

10 route _____

11 remove _____

12 grain _____

13 talent _____

14 trust _____

15 reject _____

16 vote _____

B 주어진 상자에서 알맞은 단어를 골라 문장을 완성하세요.

| grain | rejected | narrow | temple |

1 The streets in this area are very _____ . 이 지역의 도로들은 매우 좁다.

2 We use only the best _____ to make bread. 우리는 최고의 곡물만을 사용하여 빵을 만듭니다.

3 He _____ our suggestion. 그는 우리의 제안을 거절했다.

4 Bulguksa is a beautiful _____ in Korea. 불국사는 한국의 아름다운 절이다.

C 영영풀이가 가리키는 말을 고르세요.

1 a natural ability to be good at something

① honor ② talent ③ trust ④ grain

2 to express your opinion by marking on a paper or raising your hand

① remove ② respect ③ vote ④ frighten

3 a person who is employed in another person's house doing chores

① neighborhood ② temple ③ servant ④ route

정답 p. 166

D 우리말 뜻을 보고, 문장을 완성하세요.

1 It is a great _____ for me. 저에게 큰 **영광**입니다.

2 Is there a drugstore in the _____? 이 **근처**에 약국이 있나요?

3 It's hard to earn someone's _____. 누군가의 **신뢰**를 얻는 것은 힘들다.

4 I _____ his name from the list. 나는 그의 이름을 명단에서 **없앴다**.

5 They're working to a tight _____. 그들은 빡빡한 **일정**에 맞춰 일하고 있다.

6 The alarm _____ the students. 경보음은 학생들을 **몹시 놀라게 했다**.

7 I love and _____ my parents. 나는 우리 부모님을 사랑하고 **존경한다**.

8 What is the shortest _____ to New York from Boston?
보스턴에서 뉴욕으로 가는 가장 짧은 **길**은 무엇인가요?

9 A _____ has four sides which are all the same length.
정사각형은 길이가 똑같은 네 개의 변으로 이루어진다.

누적 테스트 Unit 07~08의 단어입니다. 우리말 뜻에 맞는 영어 단어를 쓰세요.

1	대하다, 치료하다	9	일정, 스케줄
2	쓰레기	10	몹시 놀라게 하다
3	부, 재산	11	신뢰; 신뢰하다
4	목, 목구멍	12	정사각형, 광장
5	계곡, 골짜기	13	거절하다, 거부하다
6	모습, 숫자, 인물	14	존경; 존경하다
7	성공하다	15	길, 경로
8	기념하다, 축하하다	16	좁은, 편협한

접미사 -ity는 형용사 뒤에 붙어
명사를 만듭니다.

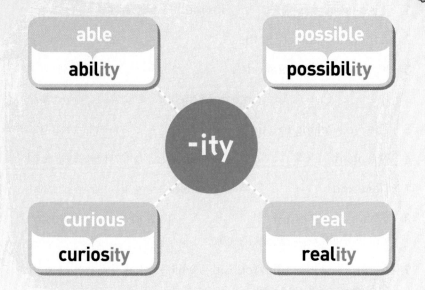

접미사 -er이나 -or은 동사
뒤에 붙어 '…하는 사람'이라
는 뜻을 나타내요.

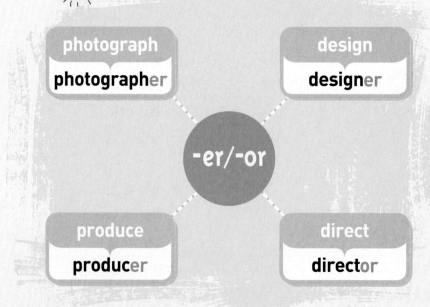

01 ability
- abilities

명 능력, 재능

The main character of the movie has the _____ to fly. 그 영화의 주인공은 날 수 있는 능력이 있다.

02 possibility
- possibilities

명 가능성

There is no _____ of going home early.

집에 일찍 갈 가능성은 없다.

03 curiosity
- curiosities

명 호기심

The boy has a lot of _____ about the things around him. 그 소년은 자기 주변의 일들에 호기심이 많다.

04 reality
- realities

명 현실

Can time travel become a _____?

시간 여행은 현실이 될 수 있을까?

05 photographer

명 사진작가, 사진가

I want to be a wildlife _____.

나는 야생 동물 사진작가가 되고 싶다.

06 designer

명 디자이너

He became a fashion _____ at the age of 20.

그는 20세에 패션 디자이너가 되었다.

07 producer

명 제작자, 프로듀서

I think the _____ of the TV show is a genius.

나는 그 TV 프로그램의 제작자가 천재라고 생각해.

08 director

명 책임자, 감독

She is one of the best movie _____s.

그녀는 가장 훌륭한 영화감독 가운데 한 명이다.

Unit 09

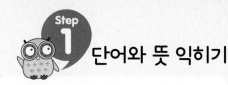

01 adventure 명 모험
[ædvéntʃər]

05 photograph 명 사진
[fóutəgræf]
> 줄여서 photo라고도 하며, 사진가는 photographer 라고 해요.

02 garage 명 차고, 주차장
[gərá:dʒ]

06 university 명 (종합) 대학
[jù:nəvə́:rsəti]
> college도 '대학'이라는 뜻 이지만 대학 내 학부나 단과 대학을 나타내기도 합니다.

03 athlete 명 운동선수
[ǽθli:t]

07 experiment 명 실험
[ikspérəmənt] 동 실험하다

04 dislike 동 싫어하다
[disláik]

08 correct 형 올바른, 정확한
[kərékt] 동 바로잡다

셜록 홈즈는 실험왕

셜록, garage에서 무슨 experiment를 하는 거야?

나 너 dislike할래….

어디가 잘못된 거까?

내 생각이 correct하다면 photograph만 봐도 범인을 알 수 있을 거야.

BOOM!

↙ 단어를 쓰며 철자와 뜻을 외우세요.

⁰⁹**dawn**
[dɔːn]

명 새벽, 여명

¹³**develop**
[divéləp]

동 개발하다, 발달시키다

¹⁰**argue**
[áːrgjuː]

동 다투다, 논쟁하다

¹⁴**patient**
[péiʃənt]

형 참을성 있는
명 환자

'참을성'이라는 명사는
patience라고 해요.

¹¹**direct**
[dirékt]

형 직접적인, 직행의

¹⁵**damage**
[dǽmidʒ]

명 손해
동 피해를 입히다

¹²**useless**
[júːslis]

형 쓸모없는, 헛된

use에 '…이 없는'이라
는 뜻의 접미사 **-less**가
붙어 만들어진 단어예요.

¹⁶**position**
[pəzíʃən]

명 위치, 입장

병원에 간 셜록 홈즈

센스있는 안내문이군.

patient분들은 이곳에서
patient하게 기다리세요.

그래,
patient의
두 가지 뜻을
모두 잘 썼어.

patient
명사 → 환자
형용사 → 참을성 있는

하지만 난 dawn부터 아파서
patient할 수가 없다고!

01 **adventure** · 명 모험

The boy got back from his ＿＿＿＿＿.

그 소년은 모험에서 돌아왔다.

02 **garage** · 명 차고, 주차장

Mr. Flair's car is inside the ＿＿＿＿＿.

Flair 씨의 차는 차고 안에 있다.

03 **athlete** · 명 운동선수

All the ＿＿＿＿＿s are ready for the race.

모든 선수들이 경주를 할 준비가 되어 있다.

04 **dislike** · 동 싫어하다
- disliked - disliked

He ＿＿＿＿＿d taking piano lessons.

그는 피아노 수업을 받는 것을 싫어했다.

05 **photograph** · 명 사진

I took lots of ＿＿＿＿＿s of
the city. 나는 그 도시의 사진을 많이 찍었다.

06 **university** · 명 (종합)대학
- universities

Which ＿＿＿＿＿ do you want to go to?

너는 어느 대학에 가고 싶니?

07 **experiment** · 명 실험
- experimented · 동 실험하다
- experimented

Tell me how to do the ＿＿＿＿＿.

그 실험을 어떻게 하는지 알려주세요.

They will ＿＿＿＿＿ on some plants.

그들은 몇 가지 식물에 실험을 할 것이다.

08 **correct** · 형 올바른, 정확한
- corrected · 동 바로잡다
- corrected

I don't think your answer is ＿＿＿＿＿.

난 네 답이 맞다고 생각하지 않아.

Please ＿＿＿＿＿ any mistakes that you find

in the report. 보고서에서 발견하는 오류는 뭐든지 고치세요.

09 dawn

명 새벽, 여명

The farmers start work at _____.

그 농부들은 새벽에 일을 시작한다.

10 argue
- argued - argued

동 다투다, 논쟁하다

My brother and I _____ all the time.

우리 형과 나는 항상 다툰다.

11 direct

형 직접적인, 직행의

Is there a _____ train to Paris?

파리까지 가는 직행 열차가 있나요?

12 useless

형 쓸모없는, 헛된

We can recycle _____ things.

우리는 쓸모없는 물건들도 재활용할 수 있다.

13 develop
- developed
- developed

동 개발하다, 발달시키다

How can I _____ my muscles?

내 근육을 어떻게 발달시킬 수 있을까?

14 patient

형 참을성 있는
명 환자

Please be _____ and wait your turn.

참을성 있게 여러분의 차례를 기다리세요.

The _____ is having surgery.

그 환자는 수술을 받고 있다.

15 damage
- damaged
- damaged

명 손해
동 피해를 입히다

The fire caused _____ to the building.

화재는 그 건물에 손상을 입혔다.

Smoking _____s your health.

흡연은 건강에 해를 끼친다.

16 position

명 위치, 입장

The man is tired from standing in the same _____. 그 남자는 같은 자리에 계속 서 있어서 피곤하다.

A 우리말은 영어로, 영어는 우리말로 쓰세요.

1 모험 _____
2 실험; 실험하다 _____
3 참을성 있는; 환자 _____
4 차고, 주차장 _____
5 개발하다 _____
6 (종합) 대학 _____
7 새벽, 여명 _____
8 직접적인, 직행의 _____

9 argue _____
10 athlete _____
11 dislike _____
12 useless _____
13 damage _____
14 photograph _____
15 position _____
16 correct _____

B 주어진 상자에서 알맞은 단어를 골라 문장을 완성하세요.

athletes	patient	damages	photographs

1 Smoking _____ your health. 흡연은 건강에 해를 끼친다.

2 Please be _____ and wait your turn. 참을성 있게 여러분의 차례를 기다리세요.

3 I took lots of _____ of the city. 나는 그 도시의 사진을 많이 찍었다.

4 All the _____ are ready for the race. 모든 선수들이 경주를 할 준비가 되어 있다.

C 영영풀이가 가리키는 말을 고르세요.

1 a place where a car is kept
① position ② garage ③ university ④ athlete

2 the period in the day when light from the sun begins to come up
① adventure ② photograph ③ dawn ④ patient

3 to cause to grow or become bigger or better
① damage ② develop ③ experiment ④ argue

정답 p. 166

D 우리말 뜻을 보고, 문장을 완성하세요.

1 The boy got back from his _____. 그 소년은 **모험**에서 돌아왔다.

2 He _____ taking piano lessons. 그는 피아노 수업을 받는 것을 **싫어했다**.

3 Which _____ do you want to go to? 너는 어느 **대학**에 들어가고 싶니?

4 Tell me how to do the _____. 그 **실험**을 어떻게 하는지 알려주세요.

5 My brother and I _____ all the time. 우리 형과 나는 항상 **다툰다**.

6 I don't think your answer is _____. 난 네 답이 **맞다**고 생각하지 않아.

7 We can recycle _____ things. 우리는 **쓸모없는** 물건들도 재활용할 수 있다.

8 Is there a _____ train to Paris? 파리까지 가는 **직행** 열차가 있나요?

9 The man is tired from standing in the same _____.
그 남자는 같은 **자리**에 계속 서 있어서 피곤하다.

누적 테스트 Unit 08~09의 단어입니다. 우리말 뜻에 맞는 영어 단어를 쓰세요.

1	곡물, 낟알	9	사진
2	하인, 종	10	개발하다, 발달시키다
3	사원, 절	11	손해; 피해를 입히다
4	투표; 투표하다	12	참을성 있는; 환자
5	명예, 영광	13	모험
6	치우다, 제거하다	14	새벽, 여명
7	재능, 재주	15	실험; 실험하다
8	근처, 이웃	16	싫어하다

Unit 10

01 several 형 몇몇의
[sévərəl]

05 environment 명 환경, 자연환경
[inváiərənmənt]

02 forgive 동 용서하다
[fərgív]

06 article 명 (신문·잡지의) 글, 기사
[áːrtikl]

03 purpose 명 목적, 동기
[pə́ːrpəs]

07 due 형 예정된, …때문에
[djuː]

> 「due to+명사」는 '…때문에'라는 뜻으로 쓰여요

04 silence 명 고요, 침묵
[sáiləns]

08 bit 명 조금, 약간, 조각
[bit]

> bit은 셀 수 없는 명사의 수량을 표현할 때 쓰이기도 합니다.
> a bit of bread 빵 한 조각
> bits of glass 유리 파편들

악플은 괴로워

우리에 대한 article에 악플이 꽤 달렸네.

어디 보자. "purpose 없이 쏘다니는 사고뭉치들…"

에잇, forgive하지 않겠다! 나도 댓글 달 거야!

진정해. 일단 silence로 대응하자. 사건이나 찾으러 나가자!

단어를 쓰며 철자와 뜻을 외우세요.

⁰⁹ **common**
[kámən]

형 흔한, 공통의, 평범한

¹³ **fit**
[fit]

동 적합하다,
(옷 등이) 맞다
형 적당한, 건강한

¹⁰ **flame**
[fleim]

명 불길, 불꽃

¹⁴ **harbor**
[háːrbər]

명 항구, 항만

¹¹ **diligent**
[dílədʒənt]

형 근면한, 성실한

'근면, 성실'이라는 뜻의
명사는 **diligence**예요.

¹⁵ **complain**
[kəmpléin]

동 불평하다

¹² **education**
[èdʒukéiʃən]

명 교육

¹⁶ **fare**
[fɛər]

명 (교통) 요금

우리가 diligent하게 일하면
좋은 대금이 달릴 거야.

그 전에 잠깐
사무실 좀 다녀올게.

지금 대금 달고 있지?
분노의 flame이 느껴지는구먼….

그래.
complain하지 말고
힘내서 일하자.

뭐 하려고?

01 several 형 몇몇의

It takes _____ hours to get there.
그곳에 가는 데 여러 시간이 걸린다.

02 forgive 동 용서하다
- forgave
- forgiven

I'm so sorry. Can you _____ me? 정말 미안해. 나를 용서해 줄 수 있겠니?

03 purpose 명 목적, 동기

What is your _____ in life?
네 인생의 목적은 무엇이니?

04 silence 명 고요, 침묵

Her scream broke the _____.
그녀의 비명이 정적을 깼다.

05 environment 명 환경, 자연환경

We should protect the _____.
우리는 환경을 보호해야 한다.

06 article 명 (신문·잡지의)글, 기사

Did you read this news _____?
이 뉴스 기사 봤니?

07 due 형 예정된, …때문에

Her baby is _____ in January.
그녀의 아기는 1월에 태어날 예정이다.

The concert was cancelled _____ to heavy rain.
폭우 때문에 콘서트가 취소되었다.

08 bit 명 조금, 약간, 조각

The coat is a _____ tight.
그 코트는 약간 낀다.

There were many _____s of paper on the desk. 책상 위에 종이 조각들이 많았다.

09 common 혱 흔한, 공통의, 평범한

Jane is a _____ girl's name.

Jane은 여자 이름으로 흔하다.

They share a _____ interest.

그들은 공통의 관심사를 갖고 있다.

10 flame 몡 불길, 불꽃

The house was in _____s.

그 집은 불길에 휩싸였다.

11 diligent 혱 근면한, 성실한

Sam is a _____ student who is never late.

Sam은 절대 지각하지 않는 성실한 학생이다.

12 education 몡 교육

All children should get a good _____.

모든 아이들은 좋은 교육을 받아야 한다.

13 fit
- fit - fit
- fitted - fitted

동 적합하다, (옷 등이) 맞다
혱 적당한, 건강한

The sweater _____s me perfectly.

그 스웨터는 나에게 완벽하게 맞는다.

She goes swimming to keep _____.

그녀는 건강을 유지하기 위해 수영을 한다.

14 harbor 몡 항구, 항만

The boat is in the _____.

그 배는 항구에 정박해 있다.

15 complain
- complained
- complained

동 불평하다

He always _____s about his work.

그는 항상 자신의 일에 대해 불평한다.

16 fare 몡 (교통) 요금

How much is the _____ to Busan?

부산까지 요금은 얼마입니까?

A 우리말은 영어로, 영어는 우리말로 쓰세요.

1	항구, 항만	_____	9 several	_____
2	용서하다	_____	10 bit	_____
3	불평하다	_____	11 diligent	_____
4	교육	_____	12 fare	_____
5	목적, 동기	_____	13 common	_____
6	환경, 자연환경	_____	14 due	_____
7	고요, 침묵	_____	15 flame	_____
8	적합하다; 건강한	_____	16 article	_____

B 주어진 상자에서 알맞은 단어를 골라 문장을 완성하세요.

flames	bit	fare	article

1 How much is the _____ to Busan? 부산까지 요금은 얼마입니까?

2 The house was in _____ . 그 집은 불길에 휩싸였다.

3 The coat is a _____ tight. 그 코트는 약간 낀다.

4 Did you read this news _____ ? 이 뉴스 기사 봤니?

C 영영풀이가 가리키는 말을 고르세요.

1 the reason why you do something
   ① education   ② silence   ③ environment   ④ purpose

2 to stop being angry with someone for something they have done
   ① fit   ② forgive   ③ complain   ④ dislike

3 an area of water next to the coast where ships and boats can shelter
   ① harbor   ② bit   ③ fare   ④ flame

정답 p. 167

D 우리말 뜻을 보고, 문장을 완성하세요.

1 All children should get a good _____. 모든 아이들은 좋은 **교육**을 받아야 한다.

2 It takes _____ hours to get there. 그곳에 가는 데 **여러** 시간이 걸린다.

3 We should protect the _____. 우리는 **환경**을 보호해야 한다.

4 The sweater _____ me perfectly. 그 스웨터는 나에게 완벽하게 **맞는다**.

5 He always _____ about his work. 그는 항상 자신의 일에 대해 **불평한다**.

6 Her scream broke the _____. 그녀의 비명이 **정적**을 깼다.

7 Sam is a _____ student who is never late. Sam은 절대 지각하지 않는 **성실한** 학생이다.

8 Her baby is _____ in January. 그녀의 아기는 1월에 태어날 **예정이다**.

9 Jane is a _____ girl's name. Jane은 여자 이름으로 **흔하다**.

누적 테스트 Unit 09~10의 단어입니다. 우리말 뜻에 맞는 영어 단어를 쓰세요.

1	운동선수	9	목적, 동기
2	차고, 주차장	10	근면한, 성실한
3	위치, 입장	11	용서하다
4	(종합) 대학	12	교육
5	직접적인, 직행의	13	불평하다
6	올바른; 바로잡다	14	(신문·잡지의) 글, 기사
7	쓸모없는, 헛된	15	환경, 자연환경
8	다투다, 논쟁하다	16	(교통) 요금

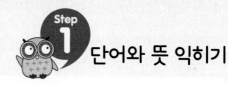
01 issue
[íʃuː]
명 쟁점, 문제

05 general
[dʒénərəl]
형 일반적인, 보통의

in general은 '일반적으로'라는 뜻입니다.

02 let
[let]
동 …하게 하다

06 owe
[ou]
동 빚지다, 신세를 지다

03 loose
[luːs]
형 풀려난, 헐렁한

07 distance
[dístəns]
명 거리, 먼 곳

04 promise
[prámis]
명 약속
동 약속하다

08 tear
[tiər] 명 눈물
[tɛər] 동 찢다, 찢어지다

의미에 따라 발음이 다르다는 점에 주의하세요.

사건 의뢰: 암호를 풀어주세요!

단어를 쓰며 철자와 뜻을 외우세요.

09 native
[néitiv]
형 태어난, 타고난, 현지의

13 disappoint
[dìsəpɔ́int]
동 실망시키다

10 astronaut
[ǽstrənɔ̀ːt]
명 우주 비행사

14 recipe
[résəpì]
명 요리법

11 consider
[kənsídər]
동 숙고하다,
… 이라고 여기다

> consider A (to be) B
> 는 'A를 B라고 여기다'
> 라는 뜻의 표현입니다.

15 escape
[iskéip]
동 탈출하다, 피하다

12 creative
[kriéitiv]
형 창의적인

16 propose
[prəpóuz]
동 제안하다, 청혼하다

01 issue　　명 쟁점, 문제

I agree with you on this _____.

이 문제에 대해 나는 너와 동의해.

02 let
- let - let　　동 …하게 하다

I'm tired. _____ me take a break.

난 피곤해요. 쉬게 해주세요.

03 loose　　형 풀려난, 헐렁한

Wear _____ clothing when you exercise.

운동을 할 때는 헐렁한 옷을 입어라.

04 promise
- promised
- promised　　명 약속
　　　　　　동 약속하다

Always keep your _____s.

약속은 항상 지켜라.

He _____d to solve the problem.

그는 그 문제를 해결하겠다고 약속했다.

05 general　　형 일반적인, 보통의

There are many restrooms for the _____ public in the city.　도시에는 일반 대중을 위한 화장실이 많이 있다.

06 owe
- owed - owed　　동 빚지다, 신세를 지다

I _____ my brother 50 dollars.

나는 형에게 50달러를 빚지고 있다.

07 distance　　명 거리, 먼 곳

What's the _____ from Seoul to Busan?

서울에서 부산까지 거리가 얼마나 되나요?

08 tear
- tore - torn　　명 눈물
　　　　　　동 찢다, 찢어지다

_____s ran down her cheeks.

눈물이 그녀의 두 뺨을 흘러내렸다.

불규칙 과거형으로 쓰세요

She _____ the picture to pieces.

그녀는 그 사진을 갈기갈기 찢었다.

09 native

형 태어난, 타고난, 현지의

Her _____ language is Spanish.

그녀의 모국어는 스페인어이다.

She has a _____ musical ability.

그녀는 타고난 음악적 재능이 있다.

10 astronaut

명 우주 비행사

_____ s can see Earth from outer space.

우주 비행사들은 우주에서 지구를 볼 수 있다.

11 consider
- considered
- considered

동 숙고하다,
…이라고 여기다

I'm _____ ing buying a new computer. 나는 새 컴퓨터를 사는 것을 고려 중이다.

12 creative

형 창의적인

Some artists get _____ ideas from their dreams. 어떤 예술가들은 꿈에서 창의적인 아이디어를 얻는다.

13 disappoint
- disappointed
- disappointed

동 실망시키다

I don't want to _____ my parents.

나는 부모님을 실망시키고 싶지 않다.

14 recipe

명 요리법

Tell me the _____ for chicken soup.

닭고기 수프의 요리법을 말해줘.

15 escape
- escaped
- escaped

동 탈출하다, 피하다

The family _____ d from the burning house.

그 가족은 불타는 집에서 탈출했다.

16 propose
- proposed
- proposed

동 제안하다, 청혼하다

She _____ d a change of plans.

그녀는 계획을 변경하자고 제안했다.

A 우리말은 영어로, 영어는 우리말로 쓰세요.

1	약속; 약속하다	_____	9	issue	_____
2	태어난, 타고난	_____	10	let	_____
3	숙고하다	_____	11	creative	_____
4	풀려난, 헐렁한	_____	12	general	_____
5	우주 비행사	_____	13	distance	_____
6	빚지다	_____	14	escape	_____
7	눈물; 찢다	_____	15	disappoint	_____
8	요리법	_____	16	propose	_____

B 주어진 상자에서 알맞은 단어를 골라 문장을 완성하세요.

distance	loose	astronauts	tears

1 What's the _____ from Seoul to Busan? 서울에서 부산까지 거리가 얼마나 되나요?

2 _____ ran down her cheeks. 눈물이 그녀의 두 뺨을 흘러내렸다.

3 _____ can see Earth from outer space. 우주 비행사들은 우주에서 지구를 볼 수 있다.

4 Wear _____ clothing when you exercise. 운동을 할 때는 헐렁한 옷을 입어라.

C 영영풀이가 가리키는 말을 고르세요.

1 a subject that people are thinking and talking about

　① promise　　② astronaut　　③ tear　　④ issue

2 to be free from something or to avoid something

　① escape　　② owe　　③ disappoint　　④ consider

3 a set of instructions telling you how to prepare and cook food

　① distance　　② recipe　　③ purpose　　④ education

D 우리말 뜻을 보고, 문장을 완성하세요.

1 He _____ to solve the problem. 그는 그 문제를 해결하겠다고 **약속했다**.

2 I _____ my brother 50 dollars. 나는 형에게 50달러를 **빚지고 있다**.

3 I'm tired. _____ me take a break. 난 피곤해요. 쉬게 **해주세요**.

4 I'm _____ buying a new computer. 나는 새 컴퓨터를 사는 것을 **고려 중이다**.

5 I don't want to _____ my parents. 나는 부모님을 **실망시키고** 싶지 않다.

6 Her _____ language is Spanish. 그녀의 **모국어**는 스페인어이다.

7 She _____ a change of plans. 그녀는 계획을 변경하자고 **제안했다**.

8 Some artists get _____ ideas from their dreams.

어떤 예술가들은 꿈에서 **창의적인** 아이디어를 얻는다.

9 There are many restrooms for the _____ public in the city.

도시에는 **일반** 대중을 위한 화장실이 많이 있다.

누적 테스트 **Unit 10~11**의 단어입니다. 우리말 뜻에 맞는 영어 단어를 쓰세요.

1	조금, 약간, 조각	9	제안하다, 청혼하다
2	예정된, …때문에	10	눈물; 찢다, 찢어지다
3	불길, 불꽃	11	태어난, 타고난, 현지의
4	몇몇의	12	쟁점, 문제
5	항구, 항만	13	우주 비행사
6	흔한, 공통의, 평범한	14	풀려난, 헐렁한
7	고요, 침묵	15	빚지다, 신세를 지다
8	적합하다; 건강한	16	요리법

Unit 12

01 holy
[hóuli]
형 신성한, 독실한

05 however
[hauévər]
부 하지만, 그러나

> but은 '그러나'라는 뜻의 접속사지만, however 는 부사라서 뒤에 꼭 콤 마를 찍어야 해요.

02 regret
[rigrét]
동 후회하다
명 후회

06 perform
[pərfɔ́:rm]
동 수행하다, 공연하다

03 scold
[skould]
동 혼내다, 야단치다

07 rare
[rɛər]
형 드문, 희귀한

04 knowledge
[nálidʒ]
명 지식, 알고 있음

08 please
[pli:z]
부 제발
동 기쁘게 하다

✎ 단어를 쓰며 철자와 뜻을 외우세요.

09 repeat
[ripíːt]
⑧ 반복하다, 다시 말하다

13 warn
[wɔːrn]
⑧ 경고하다

10 classical
[klǽsikəl]
⑲ 고전의, 클래식의

14 passenger
[pǽsəndʒər]
⑱ 승객

11 pillow
[pílou]
⑱ 베개

15 attempt
[ətémpt]
⑱ 시도
⑧ 시도하다

> attempt의 p는 묵음은 아니지만 약하게 발음한다는 점에 유의하세요.

12 settle
[sétl]
⑧ 확정하다, 정착하다

16 senior
[síːnjər]
⑱ 손윗사람
⑲ 손위의, 상위의

> 손아랫사람은 junior라고 해요.

셜록 홈즈의 연주 실력은?

classical 음악 연주를 배우고 있어. repeat해서 연습해야 실력이 늘지!

응, 열심히 해.

pillow로 귀를 막아도 계속 들려. 옆집 아저씨, 내가 warn하는데 이제 그만해욧!

⁰¹ **holy**

형 신성한, 독실한

Jerusalem is _____ ground for some people. 예루살렘은 어떤 이들에게 신성한 땅이다.

⁰² **regret**
- regretted
- regretted

동 후회하다
명 후회

I _____ my decision.
나는 내 결정을 후회한다.

He has no _____s about leaving his hometown. 그는 고향을 떠나는 데 전혀 후회가 없다.

⁰³ **scold**
- scolded - scolded

동 혼내다, 야단치다

The teacher _____ed me for talking in class. 선생님은 수업 시간에 이야기했다고 나를 혼내셨다.

⁰⁴ **knowledge**

명 지식, 알고 있음

_____ is power.
아는 것이 힘이다.

⁰⁵ **however**

부 하지만, 그러나

I feel very tired today. _____, I have to go to school. 나는 오늘 매우 피곤하다. 하지만 학교에 가야 한다.

⁰⁶ **perform**
- performed
- performed

동 수행하다, 공연하다

She _____s her job well.
그녀는 자신의 일을 잘 수행한다.

⁰⁷ **rare**

형 드문, 희귀한

Susan bought a _____ book at the flea market. Susan은 벼룩시장에서 희귀한 책을 샀다.

⁰⁸ **please**
- pleased - pleased

부 제발
동 기쁘게 하다

_____ don't leave me alone.
제발 날 혼자 두지 마.

It was hard to _____ that child.
저 아이를 기쁘게 하는 건 힘들었어.

09 **repeat**
- repeated - repeated

동 반복하다, 다시 말하다

I'm sorry. Could you _____ that?

죄송합니다. 다시 말씀해 주시겠어요?

10 **classical**

형 고전의, 클래식의

Do you like _____ music?

너는 클래식 음악을 좋아하니?

11 **pillow**

명 베개

The child is holding a _____.

그 아이는 베개를 들고 있다.

12 **settle**
- settled - settled

동 확정하다, 정착하다

The family finally _____d in Madrid, Spain.

그 가족은 마침내 스페인의 마드리드에 정착했다.

13 **warn**
- warned - warned

동 경고하다

I _____ed her not to believe Jake.

나는 그녀에게 Jake를 믿지 말라고 경고했다.

14 **passenger**

명 승객

The bus can carry 45 _____s.

그 버스에는 승객 45명이 탈 수 있다.

15 **attempt**
- attempted
- attempted

명 시도
동 시도하다

He made several _____s to escape.

그는 여러 번 탈출을 시도했다.

I _____ed to fix the phone.

나는 그 전화기를 고치려고 해보았다.

16 **senior**

명 손윗사람
형 손위의, 상위의

John is my _____ by four years.

John은 나보다 4살이 많다.

Is Becky _____ to you?

Becky는 너보다 나이가 많니?

A 우리말은 영어로, 영어는 우리말로 쓰세요.

1 후회하다; 후회 _____

2 수행하다, 공연하다 _____

3 신성한, 독실한 _____

4 베개 _____

5 지식, 알고 있음 _____

6 승객 _____

7 고전의, 클래식의 _____

8 경고하다 _____

9 repeat _____

10 scold _____

11 settle _____

12 attempt _____

13 rare _____

14 please _____

15 however _____

16 senior _____

B 주어진 상자에서 알맞은 단어를 골라 문장을 완성하세요.

knowledge	attempted	passengers	senior

1 The bus can carry 45 _____ . 그 버스에는 승객 45명이 탈 수 있다.

2 _____ is power. 아는 것이 힘이다.

3 I _____ to fix the phone. 나는 그 전화기를 고치려고 해보았다.

4 John is my _____ by four years. John은 나보다 4살이 많다.

C 영영풀이가 가리키는 말을 고르세요.

1 very religious or connected with religion

① holy   ② rare   ③ senior   ④ classical

2 to make someone feel happy

① scold   ② settle   ③ please   ④ repeat

3 to make someone realize a possible danger in the future

① regret   ② warn   ③ perform   ④ attempt

정답 p. 167

D 우리말 뜻을 보고, 문장을 완성하세요.

1 The teacher _____ me for talking in class. 선생님은 수업 시간에 이야기했다고 나를 **혼내셨다**.

2 Do you like _____ music? 너는 **클래식** 음악을 좋아하니?

3 She _____ her job well. 그녀는 자신의 일을 잘 **수행한다**.

4 I'm sorry. Could you _____ that? 죄송합니다. 다시 **말씀해** 주시겠어요?

5 The family finally _____ in Madrid, Spain.
그 가족은 마침내 스페인의 마드리드에 **정착했다**.

6 I _____ my decision. 나는 내 결정을 **후회한다**.

7 Susan bought a _____ book at the flea market. Susan은 벼룩시장에서 **희귀한** 책을 샀다.

8 The child is holding a _____. 그 아이는 **베개**를 들고 있다.

9 I feel very tired today. _____, I have to go to school.
나는 오늘 피곤하다. **하지만** 학교에 가야 한다.

누적 테스트 Unit 11~12의 단어입니다. 우리말 뜻에 맞는 영어 단어를 쓰세요.

1	…하게 하다	9	경고하다
2	일반적인, 보통의	10	지식, 알고 있음
3	거리, 먼 곳	11	후회하다; 후회
4	약속; 약속하다	12	확정하다, 정착하다
5	숙고하다, …이라고 여기다	13	혼내다, 야단치다
6	창의적인	14	드문, 희귀한
7	실망시키다	15	수행하다, 공연하다
8	탈출하다, 피하다	16	시도; 시도하다

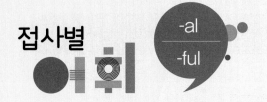

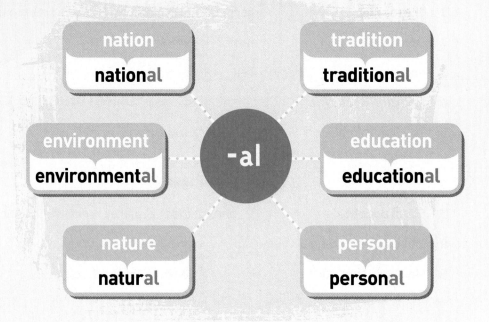

접미사 -al과 -ful은 명사
뒤에 붙어서 형용사를
만듭니다.

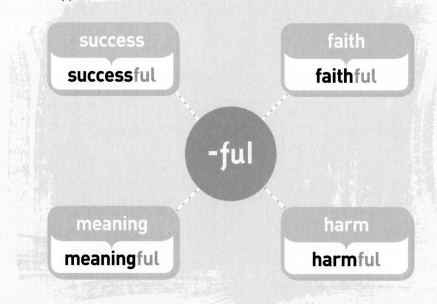

01 national 형 국가의, 국립의 Seoraksan is a _____ park.
설악산은 국립공원이다.

02 traditional 형 전통적인 Interest in _____ Korean culture is increasing.
한국 전통 문화에 대한 관심이 증가하고 있다.

03 environmental 형 환경의 Global warming is a big _____ issue.
지구 온난화는 큰 환경 문제이다.

04 educational 형 교육적인 There are many _____ games for children to enjoy. 아이들이 즐길 수 있는 교육적인 게임들이 많다.

05 natural 형 자연의, 천연의 The country is rich in _____ resources.
그 나라는 천연자원이 풍부하다.

06 personal 형 개인의, 개인적인 The novel is based on _____ experience.
그 소설은 개인적인 경험에 기반하고 있다.

07 successful 형 성공적인 She was _____ in her project.
그녀는 자신의 프로젝트에서 성공했다.

08 faithful 형 충성스러운 The dog is a _____ animal.
개는 충성스러운 동물이다.

09 meaningful 형 의미 있는 The baseball game was a _____ experience for me. 그 야구 경기는 내게 의미 있는 경험이었다.

10 harmful 형 해로운, 유해한 Juice can be _____ to your teeth.
주스는 치아에 해로울 수 있다.

Unit 13

Step 1 단어와 뜻 익히기

01 communicate
[kəmjúːnəkèit]
동 의사소통하다, 연락을 주고받다

05 departure
[dipáːrtʃər]
명 떠남, 출발
> 반대로 '도착'이라는 말은 arrival입니다.

02 limit
[límit]
동 제한하다, 한정짓다
명 한계, 제한

06 especially
[ispéʃəli]
부 특히

03 pardon
[páːrdn]
명 용서
동 용서하다
> 상대방에게 다시 말해달라고 부탁할 때 "Pardon?" 이라고 말해요.

07 maintain
[meintéin]
동 유지하다

04 continue
[kəntínjuː]
동 계속되다, 계속하다

08 laundry
[lɔ́ːndri]
명 세탁물, 세탁소

외계인을 찾아서!

이 limit없는 우주에 우리만 있을 리가 없어. 오늘은 외계인과 communicate를 해본다!

Pardon?

자, 산꼭대기로 departure한다!

어제 그 공상과학 영화를 보여주는 게 아니었어….

✎ 단어를 쓰며 철자와 뜻을 외우세요.

09 praise
[preiz]
명 칭찬, 찬사
동 칭찬하다

13 poison
[pɔ́izn]
명 독, 해로운 것

10 noble
[nóubl]
형 고결한, 귀족의

14 measure
[méʒər]
동 측정하다
명 조치, 수단

11 delivery
[dilívəri]
명 배달

> '배달하다'라는 뜻의 동사는 deliver예요.

15 hardly
[háːrdli]
부 거의 …않는

> hardly에는 부정의 뜻이 포함되어 있어서 문장 전체를 부정해요.

12 organize
[ɔ́ːrgənàiz]
동 조직하다, 정리하다

16 punish
[pʌ́niʃ]
동 처벌하다, 혼내주다

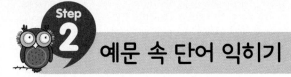
01 **communicate** 동 의사소통하다, 연락을 주고받다
- communicated
- communicated

I want to ⬚ with foreigners.

나는 외국인들과 의사소통하고 싶다.

02 **limit** 동 제한하다, 한정짓다
- limited - limited 명 한계, 제한

Some people wish to ⬚ the power of the government. 어떤 사람들은 정부의 권한을 제한하고 싶어한다.

What's the speed ⬚ on this road?

이 도로에서 제한 속도는 얼마인가요?

03 **pardon** 명 용서
- pardoned 동 용서하다
- pardoned

I went to ask for a ⬚.

나는 용서를 구하러 갔다.

⬚ me for asking this question.

이런 질문을 하는 걸 용서해 주세요.

04 **continue** 동 계속되다, 계속하다
- continued
- continued

He ⬚d working until he was 65.

그는 65세가 될 때까지 일을 계속했다.

05 **departure** 명 떠남, 출발

Please let me know your ⬚ time.

당신의 출발 시간을 제게 알려주세요.

06 **especially** 부 특히

I like meat, ⬚ steak.

나는 고기, 특히 스테이크를 좋아한다.

07 **maintain** 동 유지하다
- maintained
- maintained

I exercise a lot to ⬚ my health.

나는 건강을 유지하기 위해 운동을 많이 한다.

08 **laundry** 명 세탁물, 세탁소
- laundries

Put your ⬚ in the washing machine. 네 세탁물을 세탁기에 넣어라.

09 **praise** -praised-praised	몡 칭찬, 찬사 동 칭찬하다	His movie won high _____ from the public. 그의 영화는 대중으로부터 많은 찬사를 받았다. Everyone _____ d his cooking. 모두가 그의 요리를 칭찬했다.
10 **noble**	형 고결한, 귀족의	He is a man of _____ birth. 그는 귀족 출신이다.
11 **delivery** - deliveries	몡 배달	How much is the _____ fee? 배달비가 얼마입니까?
12 **organize** - organized - organized	동 조직하다, 정리하다	We had a meeting to _____ all of the data. 우리는 모든 데이터를 정리하기 위해 회의를 했다.
13 **poison**	몡 독, 해로운 것	_____ gas was used in World War I. 제1차 세계대전에서 독가스가 사용되었다.
14 **measure** - measured - measured	동 측정하다 몡 조치, 수단	We _____ d the weight of the baby. 우리는 그 아기의 몸무게를 쟀다. We should take _____ s to reduce crime. 우리는 범죄를 줄이기 위해 조치를 취해야 한다.
15 **hardly**	부 거의…않는	We _____ know each other. 우리는 서로를 거의 알지 못한다.
16 **punish** - punished - punished	동 처벌하다, 혼내주다	The boy was _____ ed for telling a lie. 그 소년은 거짓말을 한 것에 대해 벌을 받았다.

A 우리말은 영어로, 영어는 우리말로 쓰세요.

1 의사소통하다 _____
2 세탁물, 세탁소 _____
3 독, 해로운 것 _____
4 유지하다 _____
5 칭찬; 칭찬하다 _____
6 측정하다; 조치 _____
7 처벌하다 _____
8 배달 _____

9 pardon _____
10 noble _____
11 continue _____
12 hardly _____
13 limit _____
14 departure _____
15 organize _____
16 especially _____

B 주어진 상자에서 알맞은 단어를 골라 문장을 완성하세요.

maintain	noble	especially	communicate

1 He is a man of _____ birth. 그는 귀족 출신이다.
2 I want to _____ with foreigners. 나는 외국인들과 의사소통하고 싶다.
3 I like meat, _____ steak. 나는 고기, 특히 스테이크를 좋아한다.
4 I exercise a lot to _____ my health. 나는 건강을 유지하기 위해 운동을 많이 한다.

C 영영풀이가 가리키는 말을 고르세요.

1 to forgive someone for something they have said or done
① communicate　② continue　③ organize　④ pardon

2 the act of taking things to people's houses or places of work
① measure　② praise　③ delivery　④ limit

3 to find out the size, length or amount of something
① maintain　② measure　③ punish　④ praise

정답 p. 168

D 우리말 뜻을 보고, 문장을 완성하세요.

1 What's the speed _____ on this road? 이 도로에서 **제한** 속도는 얼마인가요?

2 Put your _____ in the washing machine. 네 **세탁물**을 세탁기에 넣어라.

3 He _____ working until he was 65. 그는 65세가 될 때까지 일을 **계속했다**.

4 We had a meeting to _____ all of the data. 우리는 모든 데이터를 **정리하기** 위해 회의를 했다.

5 _____ gas was used in World War I. 제1차 세계대전에서 **독가스**가 사용되었다.

6 We _____ know each other. 우리는 서로를 **거의** 알지 **못한다**.

7 Please let me know your _____ time. 당신의 **출발** 시간을 제게 알려주세요.

8 Everyone _____ his cooking. 모두가 그의 요리를 **칭찬했다**.

9 The boy was _____ for telling a lie. 그 소년은 거짓말을 한 것에 대해 **벌을 받았다**.

누적 테스트 Unit 12~13의 단어입니다. 우리말 뜻에 맞는 영어 단어를 쓰세요.

1	고전의, 클래식의	9	거의 …않는
2	신성한, 독실한	10	조직하다, 정리하다
3	제발; 기쁘게 하다	11	배달
4	손윗사람; 손위의	12	측정하다; 조치, 수단
5	하지만, 그러나	13	떠남, 출발
6	베개	14	한계, 제한; 제한하다
7	승객	15	계속되다, 계속하다
8	반복하다	16	유지하다

Unit 14

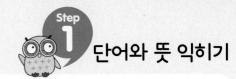

01 **rescue**
[réskju:]
동 구조하다
명 구조

05 **thirsty**
[θə́ːrsti]
형 목마른, 갈망하는

02 **alive**
[əláiv]
형 살아 있는, 생동감 있는

06 **similar**
[símələr]
형 비슷한

> similar to는 '…와 비슷한'이라는 뜻이에요.

03 **prepare**
[pripɛ́ər]
동 준비하다

07 **outside**
[àutsáid]
부 밖에, 밖으로
명 겉, 바깥쪽

> 반대말은 '안에, 안쪽'이라는 뜻의 inside예요.

04 **salary**
[sǽləri]
명 월급

08 **breath**
[breθ]
명 숨, 호흡

사건 파일 #4 납치 사건

단어를 쓰며 철자와 뜻을 외우세요.

09 tend
[tend]

동 (…하는) 경향이 있다

「tend to+동사」는 '…하는 경향이 있다'라는 뜻이에요.

13 ancient
[éinʃənt]

형 고대의, 옛날의

10 appointment
[əpɔ́intmənt]

명 약속, 임명

appointment는 만날 시간을 약속할 때 주로 쓰며, promise는 다짐이나 의지를 나타내는 약속이에요.

14 curious
[kjúəriəs]

형 호기심이 강한

11 tradition
[trədíʃən]

명 전통, 전승

15 standard
[stǽndərd]

명 표준
형 표준의

12 exact
[igzǽkt]

형 정확한, 꼼꼼한

16 select
[silékt]

동 고르다, 선택하다
형 선택된, 엄선된

Unit 14 : 93

01 **rescue**
- rescued - rescued

통 구조하다
명 구조

The little child was ⬚⬚⬚d by a firefighter.
그 어린이는 한 소방관에 의해 구조되었다.

I called a mountain ⬚⬚⬚ team.
나는 산악 구조대에 전화를 했다.

02 **alive**

형 살아 있는,
생동감 있는

Animals need food to stay ⬚⬚⬚.
동물은 살아가기 위해 먹을 것이 필요하다.

03 **prepare**
- prepared - prepared

통 준비하다

I'll ⬚⬚⬚ for the exam
next week. 나는 다음 주에 있는 시험을 준비할 것이다.

04 **salary**
- salaries

명 월급

How much is your ⬚⬚⬚?
당신의 월급은 얼마입니까?

05 **thirsty**

형 목마른, 갈망하는

I am hot and ⬚⬚⬚.
나는 덥고 목마르다.

06 **similar**

형 비슷한

Your brother and you look very ⬚⬚⬚.
네 형과 너는 매우 닮아 보여.

07 **outside**

부 밖에, 밖으로
명 겉, 바깥쪽

It's raining heavily ⬚⬚⬚.
밖에 폭우가 내리고 있어.

Paint the ⬚⬚⬚ of the
house. 그 집의 바깥쪽을 칠해라.

08 **breath**

명 숨, 호흡

Take a deep ⬚⬚⬚ and calm down.
숨을 깊게 들이쉬고 진정해.

09 tend
- tended - tended

동 (…하는) 경향이 있다

Women _____ to live longer than men.
여자는 남자보다 더 오래 사는 경향이 있다.

10 appointment

명 약속, 임명

I was early for my _____.
나는 약속보다 일찍 도착했다.

11 tradition

명 전통, 전승

It's a _____ to eat *tteokguk* on New Year's Day. 새해 첫날에 떡국을 먹는 것은 전통이다.

12 exact

형 정확한, 꼼꼼한

They didn't find the _____ cause of the accident. 그들은 사고의 정확한 원인을 밝혀내지 못했다.

13 ancient

형 고대의, 옛날의

They found an _____ city in the jungle.
그들은 밀림에서 고대 도시를 발견했다.

14 curious

형 호기심이 강한

Lucy is very _____ about everything. Lucy는 모든 것에 호기심이 많다.

15 standard

명 표준
형 표준의

By today's _____ s, he is not a fast runner.
오늘날의 기준에 따르면 그는 빠른 육상선수가 아니다.

This program will help you speak _____ English. 이 프로그램은 여러분이 표준 영어를 말할 수 있게 도와줄 것입니다.

16 select
- selected - selected

동 고르다, 선택하다
형 선택된, 엄선된

The woman couldn't _____ a toy for her son.
그 여자는 아들에게 줄 장난감을 고를 수 없었다.

Only _____ people were invited to the wedding. 엄선된 사람들만이 결혼식에 초대받았다.

A 우리말은 영어로, 영어는 우리말로 쓰세요.

1 비슷한 _____

2 고대의, 옛날의 _____

3 월급 _____

4 전통, 전승 _____

5 표준; 표준의 _____

6 (···하는) 경향이 있다 _____

7 준비하다 _____

8 목마른, 갈망하는 _____

9 alive _____

10 exact _____

11 curious _____

12 rescue _____

13 appointment _____

14 select _____

15 outside _____

16 breath _____

B 주어진 상자에서 알맞은 단어를 골라 문장을 완성하세요.

| exact select thirsty ancient |

1 I am hot and _____. 나는 덥고 목마르다.

2 The woman couldn't _____ a toy for her son. 그 여자는 아들에게 줄 장난감을 고를 수 없었다.

3 They found an _____ city in the jungle. 그들은 밀림에서 고대 도시를 발견했다.

4 They didn't find the _____ cause of the accident.
그들은 사고의 정확한 원인을 밝혀내지 못했다.

C 영영풀이가 가리키는 말을 고르세요.

1 interested in learning about people or things around you

① exact　　②curious　　③ancient　　④alive

2 to save someone or something from danger

① rescue　　②prepare　　③tend　　④select

3 an arrangement to meet someone at a particular time and place

① tradition　　②standard　　③appointment　　④salary

정답 p. 168

D 우리말 뜻을 보고, 문장을 완성하세요.

1 I'll _____ for the exam next week. 나는 다음 주에 있는 시험을 **준비할** 것이다.

2 How much is your _____ ? 당신의 **월급**은 얼마입니까?

3 It's raining heavily _____. **밖에** 폭우가 내리고 있어.

4 Your brother and you look very _____. 네 형과 너는 매우 **닮아** 보여.

5 Women _____ to live longer than men. 여자는 남자보다 더 오래 사는 **경향이 있다**.

6 Animals need food to stay _____. 동물은 **살아가기** 위해 먹을 것이 필요하다.

7 Take a deep _____ and calm down. **숨**을 깊게 들이쉬고 진정해.

8 It's a _____ to eat *tteokguk* on New Year's Day. 새해 첫날에 떡국을 먹는 것은 **전통**이다.

9 This program will help you speak _____ English.
이 프로그램은 당신이 **표준** 영어를 말할 수 있게 도와 줄 것입니다.

누적 테스트 Unit 13~14의 단어입니다. 우리말 뜻에 맞는 영어 단어를 쓰세요.

1	칭찬, 찬사; 칭찬하다	9	준비하다
2	특히	10	목마른, 갈망하는
3	의사소통하다	11	고대의, 옛날의
4	용서; 용서하다	12	비슷한
5	독, 해로운 것	13	전통, 전승
6	고결한, 귀족의	14	구조하다; 구조
7	세탁물, 세탁소	15	숨, 호흡
8	처벌하다, 혼내주다	16	정확한, 꼼꼼한

Unit 15

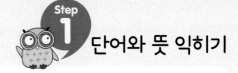

01 graduate
[grǽdʒuèit]
[grǽdʒuət]
- 동 졸업하다
- 명 졸업생

05 ordinary
[ɔ́:rdənèri]
- 형 보통의, 일상적인

02 whisper
[hwíspər]
- 동 속삭이다
- 명 속삭임, 소문

06 instead
[instéd]
- 부 대신에

> instead of는 '…대신에'
> 라는 뜻이에요.

03 activity
[æktívəti]
- 명 활동, 활기

07 mission
[míʃən]
- 명 임무, 사명

04 prefer
[prifə́:r]
- 동 …을 더 좋아하다

> prefer A to B는 'A를 B
> 보다 더 좋아하다' 라는
> 뜻이에요.

08 receive
[risí:v]
- 동 받다, 수용하다

졸업 선물 고르기

단어를 쓰며 철자와 뜻을 외우세요.

09 terrible
[térəbl]
형 끔찍한, 심한

13 satellite
[sǽtəlàit]
명 위성, 인공위성

10 advise
[ædváiz]
동 충고하다

> advice는 '조언'이라는 뜻의 명사예요.

14 technology
[teknálədʒi]
명 (과학) 기술

11 behavior
[bihéivjər]
명 행동, 태도

15 proverb
[právə:rb]
명 속담

12 edge
[edʒ]
명 끝, 가장자리

16 trade
[treid]
명 무역
동 거래하다, 교환하다

늦게 일어나는 벌레가 오래 산다

이런 proverb도 모르니?
The early bird catches the worm!
(일찍 일어나는 새가 벌레를 잡는다!)

일찍 일어나는 건 정말 terrible해…

아침부터 이렇게 사건이 많이 들어왔어.
빨리 advise 해주다.

네가 처리 좀 해줘.
늦게 일어나는 벌레가 오래 산다는 말도 있지.

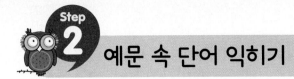

01 graduate
- graduated
- graduated

동 졸업하다
명 졸업생

He will _____ from middle school next year. 그는 내년에 중학교를 졸업할 것이다.

She is a university _____. 그녀는 대학교 졸업생이다.

02 whisper
- whispered
- whispered

동 속삭이다
명 속삭임, 소문

He _____ed something in her ear. 그는 그녀의 귀에 무언가를 속삭였다.

The child spoke in _____s. 그 아이는 작은 목소리로 이야기했다.

03 activity
- activities

명 활동, 활기

The island was formed by volcanic _____. 그 섬은 화산 활동에 의해 만들어졌다.

04 prefer
- preferred - preferred

동 …을 더 좋아하다

I _____ pizza to hamburgers. 나는 햄버거보다 피자를 더 좋아해.

05 ordinary

형 보통의, 일상적인

Jack is an _____ clerk. Jack은 평범한 직원이다.

06 instead

부 대신에

My mother was ill, so I cooked _____. 어머니가 아프셔서 대신 내가 요리했다.

07 mission

명 임무, 사명

Her _____ was to teach poor students. 그녀의 임무는 가난한 학생들을 가르치는 것이었다.

08 receive
- received - received

동 받다, 수용하다

She _____d an email from an old friend. 그녀는 옛 친구로부터 이메일을 받았다.

⁰⁹ **terrible**　　　ㆀ 끔찍한, 심한

I had a _____ dream last night.
나는 어젯밤에 끔찍한 꿈을 꾸었다.

¹⁰ **advise**　　　ㆆ 충고하다
- advised - advised

The police _____d them to stay home.
경찰은 그들에게 집에 있으라고 충고했다.

¹¹ **behavior**　　　ㆀ 행동, 태도

His rude _____ made us angry.
그의 버릇없는 행동은 우리를 화나게 했다.

¹² **edge**　　　ㆀ 끝, 가장자리

There is a big tree on the _____ of the town.　마을 가장자리에 큰 나무가 한 그루 있다.

¹³ **satellite**　　　ㆀ 위성, 인공위성

There are so many _____s high above the earth.　지구 위에는 매우 많은 인공위성들이 있다.

¹⁴ **technology**　　　ㆀ (과학) 기술
- technologies

Modern _____ is amazing, isn't it?
현대 과학 기술은 정말 놀라워, 그렇지 않니?

¹⁵ **proverb**　　　ㆀ 속담

"No pain, no gain" is a famous _____.
'고통 없이는 얻는 것도 없다'라는 유명한 속담이 있다.

¹⁶ **trade**　　　ㆀ 무역
- traded - traded　　　ㆆ 거래하다, 교환하다

International _____ keeps increasing.
국제 무역은 계속 증가한다.
If you don't like it, I'll _____ with you.
그게 마음에 들지 않으면 내 것과 교환해 줄게.

A 우리말은 영어로, 영어는 우리말로 쓰세요.

1 졸업하다; 졸업생 _____

2 위성, 인공위성 _____

3 대신에 _____

4 속삭이다; 속삭임 _____

5 (과학) 기술 _____

6 충고하다 _____

7 …을 더 좋아하다 _____

8 끝, 가장자리 _____

9 proverb _____

10 ordinary _____

11 terrible _____

12 trade _____

13 mission _____

14 receive _____

15 behavior _____

16 activity _____

B 주어진 상자에서 알맞은 단어를 골라 문장을 완성하세요.

| behavior | whispered | instead | advised |

1 My mother was ill, so I cooked _____. 어머니가 아프셔서 대신 내가 요리했다.

2 The police _____ them to stay home. 경찰은 그들에게 집에 있으라고 충고했다.

3 His rude _____ made us angry. 그의 버릇없는 행동은 우리를 화나게 했다.

4 He _____ something in her ear. 그는 그녀의 귀에 무언가를 속삭였다.

C 영영풀이가 가리키는 말을 고르세요.

1 a short sentence that gives advice about life

① behavior   ② proverb   ③ activity   ④ mission

2 to like or want one thing rather than another

① whisper   ② select   ③ trade   ④ prefer

3 to complete school, college or university correctly

① receive   ② advise   ③ graduate   ④ prepare

D 우리말 뜻을 보고, 문장을 완성하세요.

1 She ＿＿＿＿＿＿ an email from an old friend. 그녀는 옛 친구로부터 이메일을 **받았다**.

2 There are so many ＿＿＿＿＿＿ high above the earth. 지구 위에는 매우 많은 **인공위성들**이 있다.

3 If you don't like it, I'll ＿＿＿＿＿＿ with you. 그게 마음에 들지 않으면 내 것과 **교환해 줄게**.

4 There is a big tree on the ＿＿＿＿＿＿ of the town. 마을 **가장자리**에 큰 나무가 한 그루 있다.

5 Modern ＿＿＿＿＿＿ is amazing, isn't it? 현대 **과학 기술**은 정말 놀라워, 그렇지 않니?

6 The island was formed by volcanic ＿＿＿＿＿＿. 그 섬은 화산 **활동**에 의해 만들어졌다.

7 Her ＿＿＿＿＿＿ was to teach poor students. 그녀의 **임무**는 가난한 학생들을 가르치는 것이었다.

8 I had a ＿＿＿＿＿＿ dream last night. 나는 어젯밤에 **끔찍한** 꿈을 꾸었다.

9 Jack is an ＿＿＿＿＿＿ clerk. Jack은 **평범한** 직원이다.

누적 테스트 Unit 14~15의 단어입니다. 우리말 뜻에 맞는 영어 단어를 쓰세요.

1	살아 있는, 생동감 있는	9	보통의, 일상적인
2	표준; 표준의	10	행동, 태도
3	호기심이 강한	11	활동, 활기
4	밖에, 밖으로; 바깥쪽	12	충고하다
5	약속, 임명	13	졸업하다; 졸업생
6	(…하는) 경향이 있다	14	무역; 거래하다, 교환하다
7	고르다, 선택하다	15	위성, 인공위성
8	월급	16	(과학) 기술

Unit 16

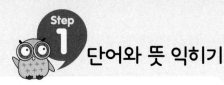

Step 1 단어와 뜻 익히기

01 average
[ǽvəridʒ]
- 명 평균
- 형 평균의

05 crime
[kraim]
- 명 범죄

02 track
[træk]
- 명 자국, 길, 경주로

06 blame
[bleim]
- 동 비난하다, 탓하다
- 명 비난

03 material
[mətíəriəl]
- 명 재료, 자료

07 exist
[igzíst]
- 동 존재하다

04 produce
[prədjúːs]
- 동 생산하다, 만들어 내다
- '생산'이라는 뜻의 명사는 production이에요.

08 overcome
[òuvərkʌ́m]
- 동 극복하다, 이기다

사건 파일 #5 범인은 열차 안에 (1)

고속철도를 타고 track을 달리니 기분이 좋네.

average 속도가 300km/h나 된대!

나님 이 기차에서 crime이 일어날 거란 예고를 받았어. 이 쪽지가 힌트야.

B C D E I K O X
빠진 글자를 찾으시오.

미리 말해주지 않다니 널 blame 할 거야! 그래도 답은 궁금하네.

단어를 쓰며 철자와 뜻을 외우세요.

09 value
[vǽljuː]
명 가치, 값
동 평가하다

13 target
[tάːrgit]
명 목표, 표적

10 depend
[dipénd]
동 믿다, 의지하다

'…를 믿다'라고 말할 때는 depend on으로 나타내요.

14 chase
[tʃeis]
동 뒤쫓다, 추적하다

11 participate
[pɑːrtísəpèit]
동 참여하다

15 absent
[ǽbsənt]
형 결석한, 없는

12 recent
[ríːsnt]
형 최근의

뒤에 -ly를 붙이면 '최근에'라는 뜻의 부사 recently가 돼요.

16 grocery
[gróusəri]
명 식료품 가게, 식료품

'식료품'이라는 뜻일 때는 주로 복수형인 groceries로 써요.

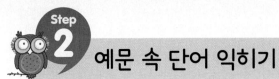

01 average
- 명 평균
- 형 평균의

My math score is above _____.

내 수학 성적은 평균 이상이다.

He drove at an _____ speed of 50 km/h.

그는 평균 시속 50km로 운전을 했다.

02 track
- 명 자국, 길, 경주로

We followed the tire _____s in the snow.

우리는 눈 속의 타이어 자국을 따라갔다.

03 material
- 명 재료, 자료

Wood is used as a _____ for furniture. 나무는 가구의 재료로 쓰인다.

04 produce
- produced
- produced

동 생산하다, 만들어 내다

France _____s a lot of wine.

프랑스는 와인을 많이 생산한다.

05 crime
- 명 범죄

Stealing is a _____.

훔치는 행동은 범죄이다.

06 blame
- blamed - blamed

- 동 비난하다, 탓하다
- 명 비난

Don't _____ Kevin. It's not his fault.

Kevin을 비난하지 마. 그의 잘못이 아니야.

She put the _____ for the accident on me.

그녀는 그 사고에 대한 책임을 나에게 돌렸다.

07 exist
- existed - existed

동 존재하다

We cannot _____ without air.

우리는 공기 없이는 살 수 없다.

08 overcome
- overcame
- overcome

동 극복하다, 이기다

Harry will _____ these problems.

Harry는 이 어려움들을 극복할 것이다.

09 value
- valued - valued

명 가치, 값
동 평가하다

What is the _____ of this gold ring?

이 금반지의 값은 얼마인가요?

It was _____ d at over $300.

그것은 300달러 이상으로 평가되었어.

10 depend
- depended
- depended

동 믿다, 의지하다

Sally tends to _____ on her husband.

Sally는 남편에게 의존하는 경향이 있다.

11 participate
- participated
- participated

동 참여하다

The boy likes to _____ in discussions.

그 소년은 토론에 참여하는 것을 좋아한다.

12 recent

형 최근의

I haven't seen him in _____ years.

나는 최근 여러 해 동안 그를 본 적이 없다.

13 target

명 목표, 표적

Set a _____ that you can achieve.

네가 이룰 수 있는 목표를 세워라.

14 chase
- chased - chased

동 뒤쫓다, 추적하다

We _____ d after the thief but couldn't catch him. 우리는 도둑을 뒤쫓았지만 그를 잡지 못했다.

15 absent

형 결석한, 없는

He was _____ from school today.

그는 오늘 학교에 결석했다.

16 grocery
- groceries

명 식료품 가게, 식료품

There's a _____ across the street.

길 건너에 식료품 가게가 있다.

(복수형으로 쓰세요)

I was putting _____ in the paper bag.

나는 종이 가방에 식료품을 넣고 있었다.

A 우리말은 영어로, 영어는 우리말로 쓰세요.

1	평균; 평균의	_____	9 chase	_____
2	최근의	_____	10 absent	_____
3	식료품	_____	11 track	_____
4	가치; 평가하다	_____	12 target	_____
5	범죄	_____	13 produce	_____
6	참여하다	_____	14 depend	_____
7	비난하다	_____	15 exist	_____
8	극복하다, 이기다	_____	16 material	_____

B 주어진 상자에서 알맞은 단어를 골라 문장을 완성하세요.

chased	tracks	grocery	absent

1 He was _____ from school today. 그는 오늘 학교에 결석했다.

2 We _____ after the thief but couldn't catch him. 우리는 도둑을 뒤쫓았지만 그를 잡지 못했다.

3 There's a _____ across the street. 길 건너에 식료품 가게가 있다.

4 We followed the tire _____ in the snow. 우리는 눈 속의 타이어 자국을 따라갔다.

C 영영풀이가 가리키는 말을 고르세요.

1 to think or say that a person is responsible for something bad

① exist   ② blame   ③ produce   ④ depend

2 happening or starting from a short time ago

① absent   ② recent   ③ ordinary   ④ average

3 importance or usefulness of something

① target   ② track   ③ crime   ④ value

정답 p. 168

D 우리말 뜻을 보고, 문장을 완성하세요.

1 Stealing is a _____. 훔치는 행동은 **범죄**이다.

2 France _____ a lot of wine. 프랑스는 와인을 많이 **생산한다**.

3 Harry will _____ these problems. Harry는 이 어려움들을 **극복할** 것이다.

4 The boy likes to _____ in discussions. 그 소년은 토론에 **참여하는** 것을 좋아한다.

5 Wood is used as a _____ for furniture. 나무는 가구의 **재료**로 쓰인다.

6 We cannot _____ without air. 우리는 공기 없이는 **살 수** 없다.

7 Sally tends to _____ on her husband. Sally는 남편에게 **의존하는** 경향이 있다.

8 He drove at an _____ speed of 50 km/h. 그는 **평균** 시속 50km로 운전을 했다.

9 Set a _____ that you can achieve. 네가 이룰 수 있는 **목표**를 세워라.

누적 테스트 Unit 15~16의 단어입니다. 우리말 뜻에 맞는 영어 단어를 쓰세요.

1	대신에	9	존재하다
2	임무, 사명	10	참여하다
3	…을 더 좋아하다	11	가치, 값; 평가하다
4	속삭이다; 속삭임	12	재료, 자료
5	끝, 가장자리	13	목표, 표적
6	속담	14	뒤쫓다, 추적하다
7	끔찍한, 심한	15	극복하다, 이기다
8	받다, 수용하다	16	평균; 평균의

접사별 **어휘**

im-, un-
dis-

접두사 im-, un-, dis-는
단어 앞에 붙어 부정의 뜻을
더해줍니다.

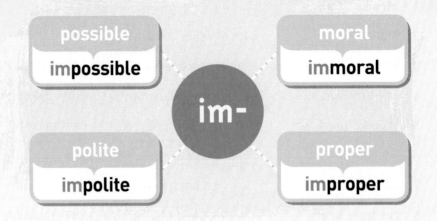

possible
im**possible**

moral
im**moral**

im-

polite
im**polite**

proper
im**proper**

usual
un**usual**

un-

familiar
un**familiar**

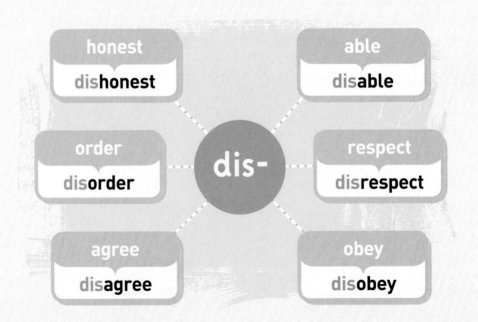

honest
dis**honest**

able
dis**able**

order
dis**order**

dis-

respect
dis**respect**

agree
dis**agree**

obey
dis**obey**

01 impossible 형 불가능한

It's _____ to finish the work in a day.
하루 안에 그 일을 끝내는 것은 불가능하다.

02 immoral 형 비도덕적인

It's _____ to lie.
거짓말하는 것은 비도덕적이다.

03 impolite 형 무례한, 실례되는

To make noise in a library is _____.
도서관에서 시끄럽게 하는 것은 실례이다.

04 improper 형 부적절한

It's _____ to wear jeans to the wedding.
결혼식에 청바지를 입고 가는 것은 부적절하다.

05 unusual 형 흔치 않은

It's _____ for John to be late.
John이 늦다니 흔치 않은 일이다.

06 unfamiliar 형 익숙지 않은, 낯선

I saw many _____ names on the list.
나는 그 명단에서 낯선 이름들을 많이 보았다.

07 dishonest 형 정직하지 못한

Be careful of _____ traders when you travel.
여행을 할 때는 정직하지 못한 상인들을 조심해라.

08 disable 동 망가뜨리다, 장애를 입히다
- disabled
- disabled

The thief _____d the alarm system.
도둑은 경보 시스템을 망가뜨렸다.

09 disorder 명 무질서, 어수선함

His room was in complete _____.
그의 방은 완전히 엉망이었다.

10 disrespect 명 무례, 결례

Left-hand handshakes are a sign of _____ in the country. 그 나라에서 왼손으로 악수하는 것은 결례이다.

11 disagree 동 반대하다
- disagreed
- disagreed

Mom _____d with all of my opinions, and I got upset. 엄마는 내 의견에 전부 반대하셨고, 나는 화가 났다.

12 disobey 동 거역하다, 불복종하다
- disobeyed
- disobeyed

The soldier _____ed orders.
그 군인은 명령을 거역했다.

Unit 17

Step 1 단어와 뜻 익히기

01 amount
[əmáunt]
명 양, 액수

05 challenge
[tʃǽlindʒ]
명 도전
동 도전하다

02 charge
[tʃɑːrdʒ]
명 요금, 책임
동 청구하다, (책임을) 맡기다

> be in charge of는 '…을 담당하다, 책임지다'라는 뜻이에요.

06 attack
[ətǽk]
명 공격
동 공격하다

03 emotion
[imóuʃən]
명 감정, 정서

07 improve
[imprúːv]
동 향상시키다, 나아지다

04 typical
[típikəl]
형 전형적인

08 license
[láisəns]
명 면허, 면허증

사건 파일 #5 범인은 열차 안에! (2)

112 : Level 2

단어를 쓰며 철자와 뜻을 외우세요.

09 climate
[kláimit]
몡 기후

13 lively
[láivli]
혱 활발한, 의욕적인

-ly로 끝나서 부사처럼 보이지만, 형용사라는 점을 기억하세요.

10 deny
[dinái]
동 부인하다, 부정하다

14 audience
[ɔ́ːdiəns]
몡 청중, 관중

11 fame
[feim]
몡 명성, 유명세

rise to fame은 '명성을 날리다, 유명해지다' 라는 뜻입니다.

15 include
[inklúːd]
동 포함하다

12 guard
[gɑːrd]
몡 경비 요원, 보초
동 지키다

다른 사람들의 신변을 보호하는 사람을 보디가드(bodyguard)라고 해요.

16 convenient
[kənvíːnjənt]
혱 편리한

01 amount 명 양, 액수

They earned a large _____ of money.

그들은 거액의 돈을 벌었다.

02 charge
- charged - charged

명 요금, 책임
동 청구하다, (책임을) 맡기다

He's in _____ of online sales.

그는 온라인 판매를 담당한다.

We won't _____ you for delivery.

저희는 배달료를 청구하지 않을 것입니다.

03 emotion 명 감정, 정서

Love is a powerful _____.

사랑은 강력한 감정이다.

04 typical 형 전형적인

This hot weather is not _____ for May. 이렇게 더운 날씨는 전형적인 5월 날씨가 아니다.

05 challenge
- challenged
- challenged

명 도전
동 도전하다

Andy likes a new _____.

Andy는 새로운 도전을 좋아한다.

I'll _____ the world champion.

나는 세계 챔피언에 도전할 것이다.

06 attack
- attacked
- attacked

명 공격
동 공격하다

Where did the _____ happen?

그 공격이 어디에서 일어났나요?

The army decided to _____ at night.

그 군대는 밤에 공격하기로 결정했다.

07 improve
- improved
- improved

동 향상시키다, 나아지다

Taking a walk can _____ your memory.

산책은 기억력을 향상시킬 수 있다.

08 license 명 면허, 면허증

May I see your driver's _____?

운전 면허증을 보여 주시겠습니까?

09 **climate**　　(명) 기후

These trees grow in warm _____s.

이 나무들은 따뜻한 기후에서 자란다.

10 **deny**　　(동) 부인하다, 부정하다
- denied - denied

Chris won't _____ that he broke the window.

Chris는 자신이 창문을 깼다는 것을 부인하지 않을 것이다.

11 **fame**　　(명) 명성, 유명세

The actor rose to _____ at the age of 40.

그 배우는 마흔 살에 유명해졌다.

12 **guard**　　(명) 경비 요원, 보초
- guarded - guarded　　(동) 지키다

There are three _____s in front of the palace.

궁전 앞에 경비병이 세 명 있다.

Two soldiers were _____ing the gate.

두 명의 군인들이 문을 지키고 있었다.

13 **lively**　　(형) 활발한, 의욕적인

The boy showed a _____ interest in the chess games.　그 소년은 체스 게임에 의욕적인 관심을 보였다.

14 **audience**　　(명) 청중, 관중

The _____ began to clap.

청중들은 박수를 치기 시작했다.

15 **include**　　(동) 포함하다
- included - included

The price doesn't _____ tax.

가격에 세금이 포함되어 있지 않습니다.

16 **convenient**　　(형) 편리한

Technology makes our lives more _____.

과학 기술은 우리의 생활을 더 편리하게 해 준다.

A 우리말은 영어로, 영어는 우리말로 쓰세요.

1 향상시키다 _____

2 공격; 공격하다 _____

3 포함하다 _____

4 면허, 면허증 _____

5 경비 요원; 지키다 _____

6 기후 _____

7 명성, 유명세 _____

8 도전; 도전하다 _____

9 charge _____

10 convenient _____

11 amount _____

12 audience _____

13 deny _____

14 lively _____

15 typical _____

16 emotion _____

B 주어진 상자에서 알맞은 단어를 골라 문장을 완성하세요.

guarding	audience	climates	amount

1 Two soldiers were _____ the gate. 두 명의 군인들이 문을 지키고 있었다.

2 They earned a large _____ of money. 그들은 거액의 돈을 벌었다.

3 These trees grow in warm _____. 이 나무들은 따뜻한 기후에서 자란다.

4 The _____ began to clap. 청중들은 박수를 치기 시작했다.

C 영영풀이가 가리키는 말을 고르세요.

1 a strong feeling such as love or anger

① amount   ② fame   ③ guard   ④ emotion

2 to say that something is not true

① include   ② deny   ③ attack   ④ improve

3 an official document that gives you permission to do something

① climate   ② charge   ③ license   ④ audience

정답 p. 169

D 우리말 뜻을 보고, 문장을 완성하세요.

1 This hot weather is not _____ for May. 이렇게 더운 날씨는 **전형적인** 5월 날씨가 아니다.

2 He's in _____ of online sales. 그는 온라인 판매를 **담당**한다.

3 The price doesn't _____ tax. 가격에 세금이 **포함되어 있지** 않습니다.

4 Technology makes our lives more _____. 과학 기술은 우리의 생활을 더 **편리하게** 해 준다.

5 The army decided to _____ at night. 그 군대는 밤에 **공격하기로** 결정했다.

6 I'll _____ the world champion. 나는 세계 챔피언에 **도전할** 것이다.

7 The actor rose to _____ at the age of 40. 그 배우는 마흔 살에 **유명**해졌다.

8 Taking a walk can _____ your memory. 산책은 기억력을 **향상시킬** 수 있다.

9 The boy showed a _____ interest in the chess games.
그 소년은 체스 게임에 **의욕적인** 관심을 보였다.

누적 테스트 Unit 16~17의 단어입니다. 우리말 뜻에 맞는 영어 단어를 쓰세요.

1	믿다, 의지하다	9	활발한, 의욕적인
2	최근의	10	도전; 도전하다
3	범죄	11	요금, 책임; 청구하다
4	식료품 가게, 식료품	12	공격; 공격하다
5	자국, 길, 경주로	13	명성, 유명세
6	생산하다, 만들어내다	14	부인하다, 부정하다
7	비난하다, 탓하다	15	감정, 정서
8	결석한, 없는	16	편리한

Unit 18

01 **obey**
[oubéi]
동 복종하다, 따르다

05 **delay**
[diléi]
동 미루다, 연기하다

02 **connect**
[kənékt]
동 연결하다, 접속하다

06 **pretend**
[priténd]
동 …인 체하다, 가장하다

> 「pretend to+동사원형」은 '…인 체하다'라는 뜻이에요.

03 **perhaps**
[pərhǽps]
부 아마, 어쩌면

07 **ahead**
[əhéd]
부 앞에, 앞으로

04 **traffic**
[trǽfik]
명 교통, 교통량

08 **demand**
[dimǽnd]
동 요구하다
명 요구, 수요

> '공급과 수요'라는 말은 supply and demand예요.

사건 파일 #5 범인은 열차 안에! (3)

🐦 단어를 쓰며 철자와 뜻을 외우세요.

⁰⁹**apply**
[əplái]

동 지원하다, 적용하다

¹³**contact**
[kántækt]

명 연락, 접촉
동 연락하다

¹⁰**belong**
[bilɔ́ŋ]

동 소속하다, 속하다

> belong to는 '…에 속하다'라는 뜻이에요.

¹⁴**creature**
[krí:tʃər]

명 창조물, 생물

¹¹**confident**
[kánfədənt]

형 자신 있는, 확신하는

¹⁵**private**
[práivət]

형 개인적인, 사유의

¹²**besides**
[bisáidz]

전 …이외에도
부 게다가

¹⁶**freeze**
[fri:z]

동 얼다, 얼리다

Unit 18 : 119

⁰¹ **obey**
- obeyed - obeyed

동 복종하다, 따르다

The driver didn't ▮▮▮▮▮▮ the traffic laws.

그 운전자는 교통 법규를 지키지 않았다.

⁰² **connect**
- connected
- connected

동 연결하다, 접속하다

My computer is ▮▮▮▮▮ed to the Internet.

내 컴퓨터는 인터넷에 연결되어 있다.

⁰³ **perhaps**

부 아마, 어쩌면

▮▮▮▮▮▮ he won't come tomorrow.

아마도 그는 내일 오지 않을 거야.

⁰⁴ **traffic**

명 교통, 교통량

The ▮▮▮▮▮ is heavy in the morning.

아침에는 교통이 혼잡하다.

⁰⁵ **delay**
- delayed - delayed

동 미루다, 연기하다

My plane was ▮▮▮▮▮ed for two hours.

내가 탈 비행기는 두 시간이 지연되었다.

⁰⁶ **pretend**
- pretended
- pretended

동 …인 체하다, 가장하다

The woman ▮▮▮▮▮ed to be a famous singer.

그 여자는 유명한 가수인 체했다.

⁰⁷ **ahead**

부 앞에, 앞으로

Please look straight ▮▮▮▮▮.

바로 앞쪽을 보세요.

⁰⁸ **demand**
- demanded
- demanded

동 요구하다
명 요구, 수요

He ▮▮▮▮▮ed to see my driver's license.

그는 내 운전 면허증을 보겠다고 요구했다.

There is a great ▮▮▮▮▮ for coffee.

커피에 대한 수요가 높다.

09 **apply**
- applied - applied

동 지원하다, 적용하다

Tim decided to _____ for the job.

Tim은 그 일에 지원하기로 결정했다.

10 **belong**
- belonged
- belonged

동 소속하다, 속하다

That book _____s to her.

그 책은 그녀의 소유이다.

11 **confident**

형 자신 있는, 확신하는

Be more _____ in yourself.

너 스스로에게 더 자신감을 가져라.

12 **besides**

전 …이외에도
부 게다가

I want to learn another language _____ English. 나는 영어 외에 다른 언어를 배우고 싶다.

I don't need a new car. _____, it's too expensive. 난 새 차가 필요 없어. 게다가, 그건 너무 비싸.

13 **contact**
- contacted
- contacted

명 연락, 접촉
동 연락하다

I don't have much _____ with my cousins.

나는 사촌들과 별로 연락을 하지 않는다.

_____ me if you have any questions.

질문이 있으면 저에게 연락하세요.

14 **creature**

명 창조물, 생물

The island is filled with wonderful _____s.

그 섬은 멋진 생물들로 가득하다.

15 **private**

형 개인적인, 사유의

Each room has a _____ bathroom.

각 방에는 개인 욕실이 있다.

불규칙 과거분사형으로 쓰세요.

16 **freeze**
- froze - frozen

동 얼다, 얼리다

The river was _____ because of the cold weather. 추운 날씨 때문에 강이 얼어붙었다.

A 우리말은 영어로, 영어는 우리말로 쓰세요.

1 얼다, 얼리다 _____

2 …인 체하다 _____

3 자신 있는 _____

4 소속하다, 속하다 _____

5 교통, 교통량 _____

6 연락; 연락하다 _____

7 지원하다, 적용하다 _____

8 개인적인, 사유의 _____

9 perhaps _____

10 delay _____

11 besides _____

12 obey _____

13 ahead _____

14 creature _____

15 connect _____

16 demand _____

B 주어진 상자에서 알맞은 단어를 골라 문장을 완성하세요.

| frozen | pretended | creatures | traffic |

1 The _____ is heavy in the morning. 아침에는 교통이 혼잡하다.

2 The river was _____ because of the cold weather. 추운 날씨 때문에 강이 얼어붙었다.

3 The woman _____ to be a famous singer. 그 여자는 유명한 가수인 체했다.

4 The island is filled with wonderful _____. 그 섬은 멋진 생물들로 가득하다.

C 영영풀이가 가리키는 말을 고르세요.

1 to be in the right place or to be someone's property

① pretend   ② apply   ③ belong   ④ charge

2 to act according to a rule, law or instruction

① demand   ② obey   ③ challenge   ④ delay

3 to join or be joined with something else

① improve   ② contact   ③ freeze   ④ connect

D 우리말 뜻을 보고, 문장을 완성하세요.

1 Please look straight _____. 바로 **앞쪽을** 보세요.

2 Each room has a _____ bathroom. 각 방에는 **개인** 욕실이 있다.

3 I don't have much _____ with my cousins. 나는 사촌들과 별로 **연락을 하지** 않는다.

4 Be more _____ in yourself. 너 스스로에게 더 **자신감을 가져라.**

5 Tim decided to _____ for the job. Tim은 그 일에 **지원하기로** 결정했다.

6 _____ he won't come tomorrow. **아마도** 그는 내일 오지 않을 거야.

7 My plane was _____ for two hours. 내가 탈 비행기는 두 시간이 **지연되었다.**

8 He _____ to see my driver's license. 그는 내 운전 면허증을 보겠다고 **요구했다.**

9 I don't need a new car. _____, it's too expensive.
나는 새 차가 필요 없어. **게다가,** 그건 너무 비싸.

누적 테스트 Unit 17~18의 단어입니다. 우리말 뜻에 맞는 영어 단어를 쓰세요.

1	기후	9	앞에, 앞으로
2	전형적인	10	…이외에도; 게다가
3	포함하다	11	요구하다; 요구, 수요
4	향상시키다, 나아지다	12	지원하다, 적용하다
5	청중, 관중	13	복종하다, 따르다
6	경비 요원; 지키다	14	…인 체하다, 가장하다
7	면허, 면허증	15	연락, 접촉; 연락하다
8	양, 액수	16	미루다, 연기하다

Unit 19

01 function
[fʌ́ŋkʃən]

명 기능
동 기능하다, 작용하다

05 desire
[dizáiər]

동 바라다
명 욕망, 소망

02 remain
[riméin]

동 남아 있다, 계속…이다

「remain+형용사」는 '…한 상태로 있다'라는 뜻이에요.

06 plenty
[plénti]

명 충분, 많음

03 volunteer
[vàləntíər]

명 자원봉사자, 지원자
동 자원하다, 자원봉사하다

07 fuel
[fjú:əl]

명 연료

04 survive
[sərváiv]

동 살아남다, 견디다

08 stretch
[stretʃ]

동 잡아당겨 늘이다

뜻 깊은 자원 봉사

오늘은 volunteer하는 날! 길고양이들에게 먹이를 주자.

사료를 plenty하게 챙겨서 가자. 강아지도 같이 산책시켜야지.

volunteer 덕분에 우리가 survive할 수 있어.

remain하지 말고 다 먹어야지!

✍ 단어를 쓰며 철자와 뜻을 외우세요.

09 reduce
[ridjúːs]

동 줄이다, 감소하다

13 effect
[ifékt]

명 영향, 효과

> 동사 affect(영향을 주다)와 헷갈리지 않도록 주의하세요.

10 increase
[inkríːs]
[ínkriːs]

동 늘리다, 증가하다
명 증가, 인상

> reduce와 increase는 서로 반의어 관계예요.

14 wrap
[ræp]

동 감싸다, 포장하다

11 spill
[spil]

동 엎지르다, 흘리다

15 conduct
[kəndʌ́kt]

동 행동하다, 지휘하다

12 comfort
[kʌ́mfərt]

명 편안, 위안
동 위로하다

16 provide
[prəváid]

동 제공하다, 주다

> provide A with B는 'A에게 B를 제공하다[주다]'라는 뜻이에요.

01 **function**
- functioned
- functioned

명 기능
동 기능하다, 작용하다

This smartphone has a lot of
_____s. 이 스마트폰은 기능이 많다.

The computer is not _____ing properly.

컴퓨터가 제대로 작동하고 있지 않다.

02 **remain**
- remained
- remained

동 남아 있다, 계속 …이다

Dave _____ed calm.

Dave는 계속 침착하게 있었다.

03 **volunteer**
- volunteered
- volunteered

명 자원봉사자, 지원자
동 자원하다,
   자원봉사하다

This work is all done by _____s.

이 일은 모두 자원봉사자들에 의해 이루어진다.

Barbara _____s at a hospital.

Barbara는 병원에서 지원봉사를 한다.

04 **survive**
- survived - survived

동 살아남다, 견디다

They _____d a terrible accident.

그들은 끔찍한 사고에서 살아남았다.

05 **desire**
- desired - desired

동 바라다
명 욕망, 소망

People _____ wealth and happiness.

사람들은 부와 행복을 바란다.

He has a strong _____ for power.

그는 권력에 대한 강한 욕망이 있다.

06 **plenty**

명 충분, 많음

You have _____ of time to think.

네게 생각할 시간은 충분히 있어.

07 **fuel**

명 연료

Oil, gas and coal can be used as _____.

석유, 가스, 석탄은 연료로 사용될 수 있다.

08 **stretch**
- stretched - stretched

동 잡아당겨 늘이다

I sat up in bed and _____ed.

나는 침대에서 일어나 기지개를 켰다.

09 reduce
- reduced - reduced

동 줄이다, 감소하다

You'd better _____ your speed.

너는 속도를 줄이는 편이 나을 거야.

SLOW DOWN

10 increase
- increased
- increased

동 늘리다, 증가하다
명 증가, 인상

The price of oil _____d.

유가가 인상되었다.

The workers expect some _____ in salary.

노동자들은 임금 인상을 기대한다.

11 spill
- spilled - spilled
- spilt - spilt

동 엎지르다, 흘리다

spilt라고 써도 돼요

The dog _____ed water all over the floor.

그 개는 바닥 여기저기에 물을 엎질렀다.

12 comfort
- comforted
- comforted

명 편안, 위안
동 위로하다

Our chairs were designed for _____.

우리 의자는 안락함을 위해 설계되었습니다.

They were _____ed to know that she was alive. 그들은 그녀가 살아있다는 것을 알고 안도했다.

13 effect

명 영향, 효과

Do you know about the _____ of violent movies? 너는 폭력적인 영화의 영향에 대해서 알고 있니?

14 wrap
- wrapped - wrapped

동 감싸다, 포장하다

I was _____ping Christmas presents.

나는 크리스마스 선물을 포장하고 있었다.

15 conduct
- conducted
- conducted

동 행동하다, 지휘하다

He has _____ed the orchestra several times. 그는 그 오케스트라를 여러 번 지휘했다.

16 provide
- provided - provided

동 제공하다, 주다

This hotel _____s the best service.

이 호텔은 최고의 서비스를 제공한다.

A 우리말은 영어로, 영어는 우리말로 쓰세요.

1 감싸다, 포장하다 _____

2 늘리다; 증가 _____

3 영향, 효과 _____

4 기능; 작용하다 _____

5 잡아당겨 늘이다 _____

6 연료 _____

7 위안; 위로하다 _____

8 남아 있다 _____

9 reduce _____

10 volunteer _____

11 survive _____

12 spill _____

13 desire _____

14 conduct _____

15 plenty _____

16 provide _____

B 주어진 상자에서 알맞은 단어를 골라 문장을 완성하세요.

| spilled comfort wrapping stretched |

1 I was _____ Christmas presents. 나는 크리스마스 선물을 포장하고 있었다.

2 The dog _____ water all over the floor. 그 개는 바닥 여기저기에 물을 엎질렀다.

3 Our chairs were designed for _____. 우리 의자는 안락함을 위해 설계되었습니다.

4 I sat up in bed and _____. 나는 침대에서 일어나 기지개를 켰다.

C 영영풀이가 가리키는 말을 고르세요.

1 to work or operate

① function ② volunteer ③ increase ④ provide

2 to want something strongly

① remain ② survive ③ conduct ④ desire

3 material used to provide heat or power, usually by being burnt

① plenty ② comfort ③ fuel ④ effect

정답 p. 170

D 우리말 뜻을 보고, 문장을 완성하세요.

1 The price of oil _____ . 유가가 **인상되었다**.

2 Dave _____ calm. Dave는 **계속** 침착하게 **있었다**.

3 You'd better _____ your speed. 너는 속도를 **줄이는** 편이 나을 거야.

4 They _____ a terrible accident. 그들은 끔찍한 사고에서 **살아남았다**.

5 He has _____ the orchestra several times. 그는 그 오케스트라를 여러 번 **지휘했다**.

6 You have _____ of time to think. 네게 생각할 시간은 **충분히** 있어.

7 This work is all done by _____ . 이 일은 모두 **자원봉사자들**에 의해 이루어진다.

8 This hotel _____ the best service. 이 호텔은 최고의 서비스를 **제공한다**.

9 Do you know about the _____ of violent movies? 너는 폭력적인 영화의 **영향**에 대해서 알고 있니?

누적 테스트 Unit 18~19의 단어입니다. 우리말 뜻에 맞는 영어 단어를 쓰세요.

1	교통, 교통량	9	자원봉사자; 자원봉사하다
2	개인적인, 사유의	10	증가하다; 증가, 인상
3	연결하다, 접속하다	11	제공하다, 주다
4	얼다, 얼리다	12	연료
5	자신 있는, 확신하는	13	남아 있다, 계속 …이다
6	아마, 어쩌면	14	충분; 많음
7	창조물, 생물	15	바라다; 욕망, 소망
8	소속하다, 속하다	16	행동하다, 지휘하다

01 **location**
[loukéiʃən]

명 위치, 장소

05 **outline**
[áutlàin]

명 개요, 윤곽

02 **separate**
[sépərèit]
[sépərət]

동 분리하다, 나누다
형 분리된, 별개의

> 동사와 형용사의 발음이 달라요.

06 **possible**
[pásəbl]

형 가능한, 있을 수 있는

03 **confuse**
[kənfjú:z]

동 혼동하다, 혼란시키다

07 **refrigerator**
[rifrídʒərèitər]

명 냉장고

> 줄여서 fridge라고 쓰기도 하며, '냉동고'만 가리킬 때는 freezer라고 해요.

04 **notice**
[nóutis]

명 주목, 공지, 안내판
동 알아차리다

08 **entire**
[intáiər]

형 전체의, 완전한

단어를 쓰며 철자와 뜻을 외우세요.

09 seldom
[séldəm]

(부) 좀처럼 … 않는

> 부정의 뜻이 포함되어 있어 문장 전체를 부정하는 부사입니다.

13 reply
[riplái]

(동) 대답하다
(명) 대답, 답장

10 attention
[ətènʃən]

(명) 주의, 주목

14 customer
[kʌ́stəmər]

(명) 손님, 고객

11 central
[séntrəl]

(형) 주요한, 중심의

15 differ
[dífər]

(동) 다르다

> differ from은 '…와 다르다'라는 뜻이에요.

12 compare
[kəmpέər]

(동) 비교하다

> 'A와 B를 비교하다'라고 할 때는 compare A with B로 표현해요.

16 eager
[í:gər]

(형) 갈망하는, 열렬한

모두 attention! 범인을 잡기 위해 이 거짓말 상자를 써야겠군. 모두 상자에 손을 넣어 안에 있는 측정기를 잡도록!

결과를 compare해보면 범인을 찾을 수 있지!

네가 범인이구나! 거짓말이 들킬까 봐, 측정기를 안 잡은 거야. 거기 검정색 잉크가 묻어 있었지. 이 방법은 실패율이 seldom하다고.

Step 2 예문 속 단어 익히기

01 location 　명 위치, 장소

What is the exact ＿＿＿＿＿ of Jamaica?

자메이카의 정확한 위치가 어디인가요?

02 separate
- separated
- separated

동 분리하다, 나누다
형 분리된, 별개의

I ＿＿＿＿＿d the little puppy from the other dogs. 나는 그 작은 강아지를 다른 개들과 분리시켰다.

Please keep the butter ＿＿＿＿＿ from the other food. 버터를 다른 음식들과 분리해 두세요.

03 confuse
- confused
- confused

동 혼동하다, 혼란시키다

People often ＿＿＿＿＿ me with my twin sister.

사람들은 나와 내 쌍둥이 언니를 자주 헷갈린다.

04 notice
- noticed - noticed

명 주목, 공지, 안내판
동 알아차리다

There is one ＿＿＿＿＿ this week.

이번 주에 한 가지 공지사항이 있어요.

I didn't ＿＿＿＿＿ her new hairstyle.

나는 그녀의 새로운 머리 모양을 알아채지 못했다.

05 outline 　명 개요, 윤곽

Tell me the ＿＿＿＿＿ of the event.

그 사건의 개요를 말해주세요.

06 possible 　형 가능한, 있을 수 있는

Is it ＿＿＿＿＿ to finish this work on time? 이 일을 제시간에 끝내는 것이 가능한가요?

07 refrigerator 　명 냉장고

There are oranges in the ＿＿＿＿＿.

냉장고에 오렌지가 있다.

08 entire 　형 전체의, 완전한

The ＿＿＿＿＿ house was destroyed in the fire. 화재로 집 전체가 파괴되었다.

09 seldom (부) 좀처럼 …않는

She _____ makes the same mistake.

그녀는 같은 실수를 좀처럼 하지 않는다.

10 attention (명) 주의, 주목

Pay _____ to me, class.

저를 주목해 주세요, 학생 여러분.

11 central (형) 주요한, 중심의

The hotel is in _____ London.

그 호텔은 런던 중심가에 있다.

12 compare (동) 비교하다
- compared
- compared

_____ your answer with your partner's.

네 답을 짝의 답과 비교해라.

13 reply (동) 대답하다
- replied - replied   (명) 대답, 답장
- replies

I sent him an email, but he didn't _____.

나는 그에게 이메일을 보냈지만 그는 답장하지 않았다.

I am writing in _____ to your request.

귀하의 요청에 대한 답변으로 이 글을 씁니다.

14 customer (명) 손님, 고객

Thank you for being our _____.

우리의 고객이 되어 주셔서 감사합니다.

15 differ (동) 다르다
- differed - differed

We look alike, but _____ in most other ways.

우리는 비슷하게 생겼지만, 대부분의 다른 면에서는 다르다.

16 eager (형) 갈망하는, 열렬한

The man was _____ to meet her.

그 남자는 그녀를 만나기를 간절히 바랐다.

A 우리말은 영어로, 영어는 우리말로 쓰세요.

1 대답하다; 답장 _____
2 가능한 _____
3 혼동하다 _____
4 비교하다 _____
5 공지; 알아차리다 _____
6 주의, 주목 _____
7 개요, 윤곽 _____
8 냉장고 _____

9 central _____
10 separate _____
11 entire _____
12 customer _____
13 location _____
14 differ _____
15 seldom _____
16 eager _____

B 주어진 상자에서 알맞은 단어를 골라 문장을 완성하세요.

entire	confuse	refrigerator	separated

1 I _____ the little puppy from the other dogs. 나는 그 작은 강아지를 다른 개들과 분리시켰다.

2 There are oranges in the _____. 냉장고에 오렌지가 있다.

3 The _____ house was destroyed in the fire. 화재로 집 전체가 파괴되었다.

4 People often _____ me with my twin sister. 사람들은 나와 내 쌍둥이 언니를 자주 헷갈린다.

C 영영풀이가 가리키는 말을 고르세요.

1 a description of the main facts about something
① attention　②️ outline　③ notice　④ location

2 a person who buys goods or a service
① reply　② customer　③ refrigerator　④ audience

3 of or near the center or most important part of something
① separate　② possible　③ central　④ eager

정답 p. 170

D 우리말 뜻을 보고, 문장을 완성하세요.

1 What is the exact _____ of Jamaica? 자메이카의 정확한 **위치**가 어디인가요?

2 The man was _____ to meet her. 그 남자는 그녀를 만나기를 **간절히 바랐다**.

3 I didn't _____ her new hairstyle. 나는 그녀의 새로운 머리 모양을 **알아채지** 못했다.

4 _____ your answer with your partner's. 네 답을 짝의 답과 **비교해라**.

5 I sent him an email, but he didn't _____. 내가 그에게 이메일을 보냈지만 그는 **답장하지** 않았다.

6 She _____ makes the same mistake. 그녀는 같은 실수를 **좀처럼** 하지 **않는다**.

7 Is it _____ to finish this work on time? 이 일을 제시간에 끝내는 것이 **가능한가요**?

8 Pay _____ to me, class. 저를 **주목**해 주세요. 학생 여러분.

9 We look alike, but _____ in most other ways.
우리는 비슷하게 생겼지만, 대부분의 다른 면에서는 **다르다**.

누적 테스트 Unit 19~20의 단어입니다. 우리말 뜻에 맞는 영어 단어를 쓰세요.

1	줄이다, 감소하다		9	주요한, 중심의
2	기능; 작용하다		10	분리하다; 분리된
3	감싸다, 포장하다		11	비교하다
4	살아남다, 견디다		12	주의, 주목
5	편안, 위안; 위로하다		13	전체의, 완전한
6	영향, 효과		14	위치, 장소
7	잡아당겨 늘이다		15	혼동하다, 혼란시키다
8	엎지르다, 흘리다		16	좀처럼 …않는

접사별 어휘

-ly
-ward

접미사 -ly는 형용사 뒤에 붙어서 부사를 만듭니다.

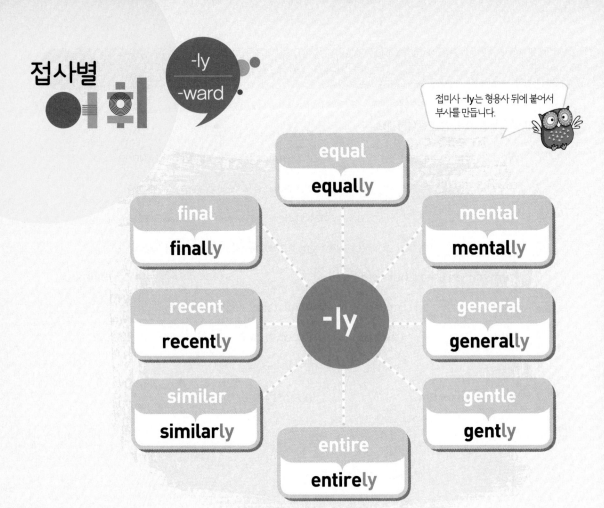

equal
equally

final
finally

mental
mentally

recent
recently

-ly

general
generally

similar
similarly

gentle
gently

entire
entirely

접미사 -ward에는 '…으로 향함'이라는 뜻이 있어요.

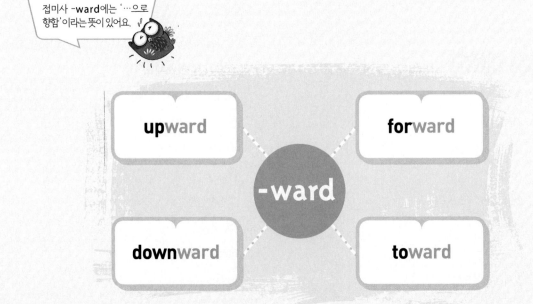

upward

forward

-ward

downward

toward

01 equally 　🔵 동등하게, 공평하게

She cut the cake _____ into four pieces.

그녀는 케이크를 똑같이 네 조각으로 나누었다.

02 finally 　🔵 마침내

_____, I got to the top of the mountain.

마침내 나는 산 정상에 올랐다.

03 mentally 　🔵 정신적으로

She teaches _____ ill students.

그녀는 정신적으로 장애가 있는 아이들을 가르친다.

04 recently 　🔵 요즘에, 최근에

The actress has become popular _____.

그 여배우는 최근에 유명해졌다.

05 generally 　🔵 일반적으로, 대개

Kids _____ like sweets.

아이들은 일반적으로 단 것을 좋아한다.

06 similarly 　🔵 비슷하게

The girls were _____ dressed.

그 소녀들은 비슷하게 옷을 입었다.

07 gently 　🔵 부드럽게, 약하게

Please hold the baby _____.

아기를 조심스럽게 안아주세요.

08 entirely 　🔵 전적으로, 전체적으로

He agreed with me _____.

그는 내 말에 전적으로 동의했다.

09 upward 　🟢 위쪽을 향한, 상승하는

Everyone was looking _____ to watch the stars. 모든 사람들이 별을 보기 위해 위쪽을 보고 있었다.

10 downward 　🟢 아래쪽으로 내려가는, 하향하는

The ball rolled along the _____ road.

그 공은 내리막길을 굴렀다.

11 forward 　🔵 앞으로
　🟢 앞으로 가는

The children ran _____ to welcome her.

그 아이들은 그녀를 환영하기 위해 앞으로 달려갔다.

12 toward 　🟣 …쪽으로, …을 향하여
　🟢 다가오는, 진행중인

We walked _____ the bus stop.

우리는 버스 정류장 쪽으로 걸어갔다.

⁰¹ **exactly**
[igzǽktli]

㉘ 정확히, 틀림없이

⁰⁵ **particular**
[pərtíkjələr]

㉗ 특유의, 특별한

⁰² **physical**
[fízikəl]

㉗ 신체의, 육체의

Physical Education은 '체육'을 뜻하며, 줄여서 P.E.라고 부릅니다.

⁰⁶ **chemical**
[kémikəl]

㉗ 화학의, 화학적인
㉣ 화학물질

⁰³ **suggest**
[sədʒést]

㉕ 제안하다, 추천하다

⁰⁷ **envy**
[énvi]

㉕ 부러워하다
㉣ 부러움, 질투

⁰⁴ **determine**
[ditə́ːrmin]

㉕ 결정하다, 알아내다

⁰⁸ **deceive**
[disíːv]

㉕ 속이다, 기만하다

작심삼일

오늘부터 아침에 조깅을 하기로 determine했어!

그 결심이 exactly 3일 간다는 데 내 전 재산을 걸게어.

내기를 suggest하는 거야? 좋아!

오늘 조깅 안 가? 내가 내기에서 이긴 거지?

못 일어나게어. physical한 피로가 많이 쌓인 것 같어.

2일 후

09 labor
[léibər]

명 노동, 일
동 노동하다, 애쓰다

13 congratulate
[kəngrǽtʃulèit]

동 축하하다

> '축하'라는 의미의 명사형은 congratulation 이에요. '축하해!' 라고 할 때는 "Congratulations!" 라고 해요.

10 aspect
[ǽspekt]

명 측면, 양상

14 economy
[ikánəmi]

명 경제, 절약

11 burden
[bə́:rdn]

명 짐, 부담

15 debt
[det]

명 빚, 부채

> debt의 b는 묵음이라서 발음하지 않아요.

12 direction
[dirékʃən]

명 방향, 지시

16 credit
[krédit]

명 신용 거래, 인정

슬픈 사건

은행을 턴 이유가 뭐야?

집안 economy 사정이 좋지 않고, 부모님과 아내는 아파서 labor 도 못하고, 집에 debt 도 있어요…. 이런 burden 때문에 은행을 털려고 해요. 죄송합니다.

이번 사건은 해결해도 congratulate 받고 싶은 마음이 없어. 슬프구나…. ㅠ-ㅠ

01 exactly

부 정확히, 틀림없이

He has dinner _____ at 6 p.m.

그는 정확히 오후 6시에 저녁을 먹는다.

02 physical

형 신체의, 육체의

My sister took a _____ exam yesterday.

내 여동생은 어제 신체검사를 받았어.

03 suggest
- suggested
- suggested

동 제안하다, 추천하다

My dad _____ed that we eat out tonight.

아빠는 오늘 저녁에 외식을 하자고 제안하셨다.

04 determine
- determined
- determined

동 결정하다, 알아내다

It was hard to _____ the best time for the meeting. 최적의 회의 시간을 정하는 것은 어려웠다.

05 particular

형 특유의, 특별한

Is there a _____ food you like?

네가 좋아하는 특정한 음식이 있니?

06 chemical

형 화학의, 화학적인
명 화학물질

Many factories produce _____ waste.

많은 공장이 화학 폐기물을 배출한다.

We don't use many _____s on our farm. 우리 농장에서는 화학물질을 많이 사용하지 않는다.

07 envy
- envied - envied
- envies

동 부러워하다
명 부러움, 질투

I _____ you for your talent.

나는 너의 재능이 부러워.

She couldn't hide her _____ of me.

그녀는 나에 대한 부러움을 감추지 못했다.

08 deceive
- deceived
- deceived

동 속이다, 기만하다

It is wrong to _____ someone.

누군가를 기만하는 것은 잘못된 일이다.

09 labor

명 노동, 일
동 노동하다, 애쓰다

I don't like physical _____.

나는 육체 노동을 좋아하지 않아.

They _____ed for many years to tell the truth.

그들은 여러 해 동안 진실을 말하기 위해 애써왔다.

10 aspect

명 측면, 양상

Look at the problem from all _____s.

그 문제를 모든 측면에서 바라보아라.

11 burden

명 짐, 부담

The horse was carrying a heavy _____.

그 말은 무거운 짐을 나르고 있었다.

12 direction

명 방향, 지시

We are looking in the same _____.

우리는 같은 방향을 보고 있다.

13 congratulate
-congratulated
-congratulated

동 축하하다

We _____d David on his success.

우리는 David의 성공을 축하해 주었다.

14 economy

명 경제, 절약

The Chinese _____ is growing quickly.

중국 경제는 빠르게 성장하고 있다.

15 debt

명 빚, 부채

He paid his _____ of $1,000.

그는 1,000달러의 빚을 갚았다.

16 credit

명 신용 거래, 인정

Can I pay by _____ card?

신용카드로 내도 될까요?

Let's give him _____ for trying.

그가 노력한 것에 대해서 인정해 줍시다.

A 우리말은 영어로, 영어는 우리말로 쓰세요.

1	경제, 절약	_____	9	labor	_____
2	신체의, 육체의	_____	10	determine	_____
3	부러움, 질투	_____	11	aspect	_____
4	짐, 부담	_____	12	exactly	_____
5	제안하다, 추천하다	_____	13	debt	_____
6	방향, 지시	_____	14	credit	_____
7	화학의; 화학물질	_____	15	particular	_____
8	축하하다	_____	16	deceive	_____

B 주어진 상자에서 알맞은 단어를 골라 문장을 완성하세요.

credit	envy	congratulated	particular

1 We _____ David on his success. 우리는 David의 성공을 축하해 주었다.

2 Is there a _____ food you like? 네가 좋아하는 특정한 음식이 있니?

3 Can I pay by _____ card? 신용카드로 내도 될까요?

4 I _____ you for your talent. 나는 너의 재능이 부러워.

C 영영풀이가 가리키는 말을 고르세요.

1 a heavy load that you carry

① debt   ② credit   ③ labor   ④ burden

2 to tell an idea or possible plan for other people to consider

① deceive   ② envy   ③ suggest   ④ determine

3 relating to the body of a person rather than the mind

① physical   ② particular   ③ chemical   ④ separate

정답 p. 170

D 우리말 뜻을 보고, 문장을 완성하세요.

1 It is wrong to _____ someone. 누군가를 **기만하는** 것을 잘못된 일이다.

2 Look at the problem from all _____. 그 문제를 모든 **측면**에서 바라보아라.

3 We are looking in the same _____. 우리는 같은 **방향**을 보고 있다.

4 He paid his _____ of $1,000. 그는 1,000달러의 **빚**을 갚았다.

5 I don't like physical _____. 나는 육체 **노동**을 좋아하지 않아.

6 Many factories produce _____ waste. 많은 공장이 **화학** 폐기물을 배출한다.

7 The Chinese _____ is growing quickly. 중국 **경제**는 빠르게 성장하고 있다.

8 He has dinner _____ at 6 p.m. 그는 **정확히** 오후 6시에 저녁을 먹는다.

9 It was hard to _____ the best time for the meeting.
최적의 회의 시간을 **정하는** 것은 어려웠다.

누적 테스트 Unit 20~21의 단어입니다. 우리말 뜻에 맞는 영어 단어를 쓰세요.

1	대답하다; 대답, 답장	9	결정하다, 알아내다
2	손님, 고객	10	정확히, 틀림없이
3	냉장고	11	빚, 부채
4	갈망하는, 열렬한	12	부러움, 질투; 부러워하다
5	공지; 알아차리다	13	제안하다, 추천하다
6	개요, 윤곽	14	화학의; 화학물질
7	다르다	15	신체의, 육체의
8	가능한, 있을 수 있는	16	특유의, 특별한

 # Unit 22

01 embarrassed
[imbǽrəst]
형 부끄러운, 당황한

05 inform
[infɔ́:rm]
동 알리다, 통보하다

02 prevent
[privént]
동 막다, 예방하다

06 liberty
[líbərti]
명 자유, 해방

03 generation
[dʒènəréiʃən]
명 세대

07 enable
[inéibl]
동 …할 수 있게 하다

「enable A to+동사원형」은 'A가 …할 수 있게 하다'라는 뜻입니다.

04 excuse
[ikskjú:s]
[ikskjú:z]
명 변명
동 용서하다, 변명하다

"Excuse me."는 '실례합니다'라는 뜻의 표현이에요. 끝음절은 명사일 때 [s], 동사일 때 [z]로 발음해요.

08 pollute
[pəlú:t]
동 오염시키다

단어를 쓰며 철자와 뜻을 외우세요.

09 **mental**
[méntl]

(형) 정신의, 마음의

> 반대로 '육체의'라는 단어는 **physical**이에요.

10 **attach**
[ətǽtʃ]

(동) 붙이다, 첨부하다

11 **laboratory**
[lǽbərətɔ̀ːri]

(명) 실험실, 연구실

> 짧게 **lab**으로 줄여 쓰기도 해요.

12 **except**
[iksépt]

(전) … 외에는

13 **disappointed**
[dìsəpɔ́intid]

(형) 실망한, 낙담한

14 **emergency**
[imə́ːrdʒənsi]

(명) 비상사태, 응급

15 **dye**
[dai]

(동) 염색하다

> 동사 **die**(죽다)와 발음이 같아요.

16 **exchange**
[ikstʃéindʒ]

(명) 교환
(동) 주고받다, 바꾸다

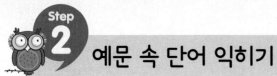

Step 2 예문 속 단어 익히기

01 embarrassed 혱 부끄러운, 당황한

He gets _____ in front of the public.
그는 사람들 앞에서 당황해 한다.

02 prevent 동 막다, 예방하다
- prevented
- prevented

How can we _____ water pollution?
우리는 수질 오염을 어떻게 막을 수 있을까요?

03 generation 명 세대

Let's make a better world for future _____s.
미래 세대를 위해 더 나은 세상을 만듭시다.

04 excuse 명 변명
- excused - excused 동 용서하다, 변명하다

There's no _____ for your behavior.
네 행동에 대해서는 변명의 여지가 없어.

_____ me, where is the subway station?
실례합니다만, 지하철역은 어디에 있나요?

05 inform 동 알리다, 통보하다
- informed - informed

They _____ed me of the news.
그들은 나에게 그 소식을 알려주었다.

06 liberty 명 자유, 해방
- liberties

People should have the _____ to vote.
사람들에게는 투표할 자유가 있어야 한다.

07 enable 동 …할 수 있게 하다
- enabled - enabled

This computer _____s us to access the Internet easily. 이 컴퓨터는 우리가 인터넷에 쉽게 접속하게 해 준다.

08 pollute 동 오염시키다
- polluted - polluted

An electric car doesn't _____ the air.
전기자동차는 공기를 오염시키지 않는다.

146 : Level 2

09 mental 　형 정신의, 마음의

Stress is not good for your _____ health.
스트레스는 정신 건강에 좋지 않다.

10 attach
- attached - attached

　동 붙이다, 첨부하다

A price tag is _____ed to each item. 　각 상품에는 가격표가 붙어 있다.

11 laboratory
- laboratories

　명 실험실, 연구실

We do many experiments in the _____.
우리는 실험실에서 많은 실험을 한다.

12 except 　전 …외에는

The library is open every day _____ Mondays. 　도서관은 월요일 외에는 매일 문을 연다.

13 disappointed 　형 실망한, 낙담한

We were _____ with the result.
우리는 그 결과에 실망했다.

14 emergency
- emergencies

　명 비상사태, 응급

Call 119 in an _____.
응급 상황에 119로 전화하세요.

Emergency call

15 dye
- dyed - dyed

　동 염색하다

Becky _____d her hair brown.
Becky는 머리를 갈색으로 염색했다.

16 exchange
- exchanged
- exchanged

　명 교환
　동 주고받다, 바꾸다

The site is useful for the _____ of information. 　그 사이트는 정보 교환에 유용하다.

Can I _____ this ticket for a later show?
이 표를 다음 공연 표로 바꿀 수 있을까요?

학습한 단어 확인하기

A 우리말은 영어로, 영어는 우리말로 쓰세요.

1 …외에는 _____
2 변명; 용서하다 _____
3 막다, 예방하다 _____
4 실험실, 연구실 _____
5 정신의, 마음의 _____
6 세대 _____
7 붙이다, 첨부하다 _____
8 오염시키다 _____

9 dye _____
10 liberty _____
11 disappointed _____
12 embarrassed _____
13 exchange _____
14 enable _____
15 emergency _____
16 inform _____

B 주어진 상자에서 알맞은 단어를 골라 문장을 완성하세요.

dyed	excuse	laboratory	except

1 We do many experiments in the _____ . 우리는 실험실에서 많은 실험을 한다.

2 Becky _____ her hair brown. Becky는 머리를 갈색으로 염색했다.

3 _____ me, where is the subway station? 실례합니다만, 지하철역은 어디에 있나요?

4 The library is open every day _____ Mondays. 도서관은 월요일 외에는 매일 문을 연다.

C 영영풀이가 가리키는 말을 고르세요.

1 to tell someone about particular information or facts
   ① inform ② exchange ③ attach ④ prevent

2 all the people of about the same age within a society
   ① liberty ② generation ③ emergency ④ laboratory

3 to make someone able to do something
   ① excuse ② enable ③ pollute ④ dye

정답 p. 171

D 우리말 뜻을 보고, 문장을 완성하세요.

1 Stress is not good for your _____ health.   스트레스는 **정신** 건강에 좋지 않다.

2 An electric car doesn't _____ the air.   전기자동차는 공기를 **오염시키지** 않는다.

3 People should have the _____ to vote.   사람들에게는 투표할 **자유**가 있어야 한다.

4 A price tag is _____ to each item.   각 상품에는 가격표가 **붙어 있다.**

5 He gets _____ in front of the public.   그는 사람들 앞에서 **당황해 한다.**

6 We were _____ with the result.   우리는 그 결과에 **실망했다.**

7 Can I _____ this ticket for a later show?   이 표를 다음 공연 표로 **바꿀** 수 있을까요?

8 How can we _____ water pollution?   우리는 수질 오염을 어떻게 **막을** 수 있을까요?

9 Call 119 in an _____.   **응급 상황**에 119로 전화하세요.

누적 테스트   Unit 21~22의 단어입니다. 우리말 뜻에 맞는 영어 단어를 쓰세요.

1	신용 거래, 인정	9	부끄러운, 당황한
2	축하하다	10	막다, 예방하다
3	방향, 지시	11	오염시키다
4	측면, 양상	12	실망한, 낙담한
5	속이다, 기만하다	13	비상사태, 응급
6	짐, 부담	14	정신의, 마음의
7	경제, 절약	15	세대
8	노동, 일; 노동하다	16	붙이다, 첨부하다

Unit 23

Step 1 단어와 뜻 익히기

01 charity
[tʃǽrəti]
명 자선, 자선단체

05 complete
[kəmplíːt]
형 완전한, 완벽한
동 완료하다

02 independent
[ìndipéndənt]
형 독립한, 독자적인

> dependent(의존적인)에 부정을 나타내는 접사 in-을 붙여 만든 말이에요.

06 suddenly
[sʌ́dnli]
부 갑자기, 순식간에

03 command
[kəmǽnd]
명 명령
동 명령하다

07 amuse
[əmjúːz]
동 즐겁게 하다

04 hesitate
[hézətèit]
동 망설이다, 주저하다

08 contrary
[kántreri]
형 반대의, …와 다른

> contrary to는 '…와는 반대로'라는 뜻이에요.

사건 파일 #7 누가 내 뺨을 때렸지? (1)

전부 마음껏 드세요~

식당 개업식에 오신 걸 환영해요. hesitate하지 말고 마음껏 드세요.

앗, Suddenly 정전이 됐네요!

꺅! 누가 제 뺨을 때렸어요!

사건이다! 이 파티가 저를 amuse해주는 군요.

단어를 쓰며 철자와 뜻을 외우세요.

09 moral
[mɔ́ːrəl]

형 도덕의
명 교훈, 도덕 관념

13 cancer
[kǽnsər]

명 암

10 extend
[iksténd]

동 확장하다, 늘리다

14 decrease
[diːkríːs]
[díːkriːs]

동 줄다, 감소하다
명 감소

반대말은 '늘다, 증가하다' 라는 의미의 **increase** 예요.

11 intelligent
[intélədʒənt]

형 똑똑한, 지적인

15 silent
[sáilənt]

형 조용한, 침묵의

12 annoy
[ənɔ́i]

동 짜증나게 하다

16 discuss
[diskʌ́s]

동 의논하다, 토론하다

01 charity
- charities

명 자선, 자선단체

The _____ gives books to children.

그 자선단체는 아이들에게 책을 준다.

02 independent

형 독립한, 독자적인

I think children should be _____.

나는 아이들이 독립적이어야 한다고 생각한다.

03 command
- commanded
- commanded

명 명령
동 명령하다

The soldiers didn't obey the _____.

그 병사들은 명령에 복종하지 않았다.

He _____ed me to follow him.

그는 내게 따라오라고 명령했다.

04 hesitate
- hesitated - hesitated

동 망설이다, 주저하다

He _____d for a moment before saying yes.

그는 승낙하기 전에 잠시 망설였다.

05 complete
- completed
- completed

형 완전한, 완벽한
동 완료하다

He read the _____ works of Shakespeare.

그는 셰익스피어 전집을 다 읽었다.

The project was _____d a week ago.

그 프로젝트는 일주일 전에 완료되었어.

06 suddenly

부 갑자기, 순식간에

_____, the lights went off.

갑자기 불이 꺼졌다.

07 amuse
- amused - amused

동 즐겁게 하다

The joke _____d the audience.

그 농담은 청중을 즐겁게 만들었다.

08 contrary

형 반대의, …와 다른

_____ to common belief, many cats don't like milk. 일반적 생각과 달리, 많은 고양이들은 우유를 좋아하지 않는다.

09 moral
- 형 도덕의
- 명 교훈, 도덕 관념

The book *Justice* is about a _____ issue.
《정의》라는 책은 도덕적 문제에 대한 책이다.

What is the _____ to this story?
이 이야기의 교훈은 뭘까?

10 extend
- extended
- extended
- 동 확장하다, 늘리다

Please _____ the holiday by one more day.
휴가를 하루 더 늘려 주세요.

11 intelligent
- 형 똑똑한, 지적인

The boy is _____ and loves to learn.
그 소년은 똑똑하며 배우는 것을 좋아한다.

12 annoy
- annoyed - annoyed
- 동 짜증나게 하다

His loud music _____ed his neighbors.
그의 시끄러운 음악은 이웃사람들을 짜증나게 했다.

13 cancer
- 명 암

Do you know that stress causes _____?
너는 스트레스가 암을 유발한다는 것을 알고 있니?

14 decrease
- decreased
- decreased
- 동 줄다, 감소하다
- 명 감소

The number of new students _____d this year. 올해 신입생 수가 줄었다.

There was a _____ in the number of visitors last month. 지난 달에 방문자 수가 줄었다.

15 silent
- 형 조용한, 침묵의

Please be _____ during the movie.
영화가 상영되는 동안에는 조용히 해 주세요.

16 discuss
- discussed
- discussed
- 동 의논하다, 토론하다

Let's _____ the details later.
자세한 사항은 나중에 의논합시다.

A 우리말은 영어로, 영어는 우리말로 쓰세요.

1 갑자기, 순식간에 _____

2 의논하다, 토론하다 _____

3 도덕의; 교훈 _____

4 암 _____

5 독립한, 독자적인 _____

6 완전한; 완료하다 _____

7 자선, 자선단체 _____

8 망설이다, 주저하다 _____

9 command _____

10 silent _____

11 intelligent _____

12 decrease _____

13 extend _____

14 contrary _____

15 annoy _____

16 amuse _____

B 주어진 상자에서 알맞은 단어를 골라 문장을 완성하세요.

extend	silent	annoyed	amused

1 His loud music _____ his neighbors. 그의 시끄러운 음악은 이웃사람들을 짜증나게 했다.

2 Please _____ the holiday by one more day. 휴가를 하루 더 늘려 주세요.

3 The joke _____ the audience. 그 농담은 청중을 즐겁게 만들었다.

4 Please be _____ during the movie. 영화가 상영되는 동안에는 조용히 해 주세요.

C 영영풀이가 가리키는 말을 고르세요.

1 to talk about a subject with another person or group

① command ② amuse ③ discuss ④ annoy

2 able to learn and understand things easily

① contrary ② silent ③ intelligent ④ moral

3 to finish doing or making something

① hesitate ② decrease ③ extend ④ complete

정답 p. 171

D 우리말 뜻을 보고, 문장을 완성하세요.

1 Do you know that stress causes _____? 너는 스트레스가 **암**을 유발한다는 것을 알고 있니?

2 The book *Justice* is about a _____ issue. 《정의》라는 책은 **도덕적** 문제에 대한 책이다.

3 He _____ for a moment before saying yes. 그는 승낙하기 전에 잠시 **망설였다**.

4 The number of new students _____ this year. 올해 신입생 수가 **줄었다**.

5 The soldiers didn't obey the _____. 그 병사들은 **명령**에 복종하지 않았다.

6 The _____ gives books to children. 그 **자선단체**는 아이들에게 책을 준다.

7 I think children should be _____. 나는 아이들이 **독립적이어야** 한다고 생각한다.

8 _____, the lights went off. 갑자기 불이 꺼졌다.

9 _____ to common belief, many cats don't like milk.
일반적 생각과 **달리**, 많은 고양이들은 우유를 좋아하지 않는다.

누적 테스트 Unit 22 ~ 23의 단어입니다. 우리말 뜻에 맞는 영어 단어를 쓰세요.

1	실험실, 연구실	9	반대의, …와 다른
2	알리다, 통보하다	10	똑똑한, 지적인
3	교환; 주고받다, 바꾸다	11	망설이다, 주저하다
4	…외에는	12	자선, 자선단체
5	…할 수 있게 하다	13	갑자기, 순식간에
6	염색하다	14	완벽한; 완료하다
7	변명; 용서하다, 변명하다	15	즐겁게 하다
8	자유, 해방	16	조용한, 침묵의

Unit 24

01 product
[prάdʌkt]
몡 상품, 제품

05 suppose
[səpóuz]
동 가정하다, 생각하다

02 supply
[səplάi]
동 공급하다
몡 공급, 보급품

'공급 물자'라는 뜻으로 쓰일 때는 복수형인 supplies로 써요.

06 suffer
[sʌ́fər]
동 고통받다

suffer from은 '…에 시달리다'라는 뜻이에요.

03 guilty
[gílti]
혱 유죄의, 죄책감이 드는

07 justice
[dʒʌ́stis]
몡 정의, 공정성

04 illegal
[ilíːgəl]
혱 불법적인

08 export
[ikspɔ́ːrt]
[íkspɔːrt]
동 수출하다
몡 수출품, 수출

단어를 쓰며 철자와 뜻을 외우세요.

09 passion
[pǽʃən]
명 열정, 격정

13 religion
[rilídʒən]
명 종교

10 advertise
[ǽdvərtàiz]
동 광고하다

'광고'라는 뜻의 명사형은 advertiment이고, 줄여서 ad라고도 해요.

14 influence
[ínfluəns]
명 영향
동 영향을 주다

11 memorize
[méməràiz]
동 암기하다, 외우다

15 invest
[invést]
동 투자하다

12 proper
[prápər]
형 적절한, 올바른

16 import
[impɔ́ːrt]
[ímpɔːrt]
동 수입하다
명 수입품, 수입

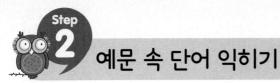

01 product 명 상품, 제품

We are trying to export our new _____.

우리는 새로운 제품을 수출하려고 노력하고 있다.

02 supply
- supplied - supplied
- supplies

동 공급하다
명 공급, 보급품

The charity will _____ food to the poor.

그 자선단체는 가난한 사람들에게 음식을 제공할 것이다.

복수형으로 쓰세요

The plane carries medical _____ to the island. 비행기는 그 섬으로 의료 물자를 실어나른다.

03 guilty 형 유죄의, 죄책감이 드는

The soldier felt _____ about it.

그 군인은 그 일에 죄책감을 느꼈다.

04 illegal 형 불법적인

Drunk driving is _____.

음주운전은 불법이다.

05 suppose
- supposed
- supposed

동 가정하다, 생각하다

_____ that you were in that situation.

네가 그 상황에 있다고 가정해 보아라.

06 suffer
- suffered - suffered

동 고통받다

The old man _____ed from a serious illness. 그 노인은 중병에 시달렸다.

07 justice 명 정의, 공정성

The lawyer said that she would fight for _____. 그 변호사는 정의를 위해 싸우겠다고 말했다.

08 export
- exported - exported

동 수출하다
명 수출품, 수출

The country _____s coffee and cocoa.

그 나라는 커피와 코코아를 수출한다.

The total _____ value this year is 10 billion dollars. 올해 수출 총액은 100억 달러이다.

⁰⁹ **passion** 명 열정, 격정

I have a _____ for painting.

나는 그림에 대한 열정이 있다.

¹⁰ **advertise** 동 광고하다
- advertised
- advertised

The company will _____ the new product on TV. 그 회사는 신상품을 TV에서 광고할 것이다.

¹¹ **memorize** 동 암기하다, 외우다
- memorized
- memorized

Don't try to _____ the answer.

답을 외우려고 하지 마라.

¹² **proper** 형 적절한, 올바른

He is the _____ person for the job.

그는 그 일에 적절한 사람이다.

¹³ **religion** 명 종교

Do you have a _____?

당신은 종교가 있나요?

¹⁴ **influence** 명 영향
- influenced 동 영향을 주다
- influenced

TV has a great _____ on children.

TV는 아이들에게 큰 영향을 준다.

His movie was _____d by the novel. 그의 영화는 그 소설의 영향을 받았다.

¹⁵ **invest** 동 투자하다
- invested - invested

He _____ed lots of money in my business.

그는 내 사업에 많은 돈을 투자했다.

¹⁶ **import** 동 수입하다
- imported - imported 명 수입품, 수입

The country _____s food from abroad.

그 나라는 외국에서 식량을 수입한다.

His car is an _____ from Germany.

그의 차는 독일에서 들여온 수입품이다.

A 우리말은 영어로, 영어는 우리말로 쓰세요.

1 상품, 제품 _____
2 암기하다, 외우다 _____
3 공급하다; 공급 _____
4 광고하다 _____
5 정의, 공정성 _____
6 죄책감이 드는 _____
7 투자하다 _____
8 불법적인 _____

9 religion _____
10 suppose _____
11 proper _____
12 import _____
13 passion _____
14 influence _____
15 suffer _____
16 export _____

B 주어진 상자에서 알맞은 단어를 골라 문장을 완성하세요.

exports	influence	supply	passion

1 The country _____ coffee and cocoa. 그 나라는 커피와 코코아를 수출한다.
2 I have a _____ for painting. 나는 그림에 대한 열정이 있다.
3 TV has a great _____ on children. TV는 아이들에게 큰 영향을 준다.
4 The charity will _____ food to the poor. 그 자선단체는 가난한 사람들에게 음식을 제공할 것이다.

C 영영풀이가 가리키는 말을 고르세요.

1 worrying because you have done something wrong
① proper ② guilty ③ contrary ④ illegal

2 to put money, effort, time, etc. into something to get an advantage
① invest ② supply ③ advertise ④ import

3 to learn something so that you will remember it exactly
① suppose ② influence ③ memorize ④ export

정답 p. 171

D 우리말 뜻을 보고, 문장을 완성하세요.

1 Do you have a _____ ? 당신은 **종교**가 있나요?

2 We are trying to export our new _____ . 우리는 새로운 **제품**을 수출하려고 노력하고 있다.

3 The country _____ food from abroad. 그 나라는 외국에서 식량을 **수입한다**.

4 The company will _____ the new product on TV. 그 회사는 신상품을 TV에서 **광고할** 것이다.

5 _____ that you were in that situation. 네가 그 상황에 있다고 **가정해 보아라**.

6 He is the _____ person for the job. 그는 그 일에 **적절한** 사람이다.

7 The old man _____ from a serious illness. 그 노인은 중병에 **시달렸다**.

8 Drunk driving is _____ . 음주운전은 **불법이다**.

9 The lawyer said that she would fight for _____ . 그 변호사는 **정의**를 위해 싸우겠다고 말했다.

누적 테스트 Unit 23~24의 단어입니다. 우리말 뜻에 맞는 영어 단어를 쓰세요.

1	명령; 명령하다	9	유죄의, 죄책감이 드는
2	짜증나게 하다	10	암기하다, 외우다
3	독립한, 독자적인	11	광고하다
4	도덕의; 교훈	12	수입하다; 수입
5	의논하다, 토론하다	13	종교
6	암	14	영향; 영향을 주다
7	확장하다, 늘리다	15	불법적인
8	줄다, 감소하다; 감소	16	수출하다; 수출

Wherever you go, go with all your heart.
_Confucius

부록

정답 | 어휘 목록

Answers 정답

Unit 01 Step 3 학습한 단어 확인하기   pp. 12~13

A
1 order
2 desert
3 marry
4 danger
5 accident
6 holiday
7 mystery
8 captain
9 거짓말; 거짓말하다, 눕다
10 병
11 숲, 산림
12 따분한, 우둔한
13 잘못, 단점
14 온화한, 조용한
15 운동, 연습; 운동하다
16 담소하다; 이야기를 나누다

B
1 bottle
2 danger
3 exercise
4 desert

C
1 ③
2 ①
3 ④

D
1 accident
2 captain
3 chat
4 forest
5 marry
6 mystery
7 ordered
8 lie
9 holiday

누적 테스트

1 accident	9 fault
2 bottle	10 holiday
3 captain	11 marry
4 chat	12 lie
5 dull	13 order
6 exercise	14 mystery
7 desert	15 forest
8 gentle	16 danger

Unit 02 Step 3 학습한 단어 확인하기   pp. 18~19

A
1 tired
2 secret
3 background
4 clue
5 fever
6 view
7 empty
8 cheer
9 재산, 운
10 빤히 쳐다보다, 응시하다
11 어리석은, 바보 같은
12 공상, 상상
13 놀라운, 대단한
14 극장
15 신 나는, 흥미진진한
16 힘, 강도

B
1 fever
2 exciting
3 theater
4 cheered

C
1 ①
2 ②
3 ③

D
1 background
2 view
3 amazing
4 clue
5 stared
6 Fantasy
7 empty
8 tired
9 fortune

누적 테스트

1 accident	9 fortune
2 lie	10 fever
3 fault	11 amazing
4 marry	12 theater
5 desert	13 clue
6 danger	14 empty
7 exercise	15 stare
8 holiday	16 view

Unit 03 Step 3 학습한 단어 확인하기   pp. 24~25

A
1 honest
2 injure
3 custom
4 scream
5 trick
6 spoil
7 swallow
8 alone
9 국가
10 마지막의, 최종의
11 매끄러운
12 재미있는, 흥미로운
13 길, 산책길
14 속상한, 화가 난
15 외로운, 쓸쓸한
16 낭비하다

B
1 injured
2 swallow
3 alone
4 path

C
1 ②
2 ④
3 ③

D
1 honest
2 nations
3 screamed
4 spoiled
5 smooth
6 tricks
7 customs
8 final
9 upset

누적 테스트

1 secret	9 smooth
2 background	10 upset
3 silly	11 spoil
4 strength	12 honest
5 cheer	13 nation
6 tired	14 custom

| 7 fantasy | 15 trick |
| 8 exciting | 16 scream |

Unit 04 Step 3 학습한 단어 확인하기 pp. 30~31

A
1 doubt	9 경험; 경험하다
2 local	10 제안하다, 제공하다; 제안
3 freedom	11 악마, 말썽꾸러기
4 deaf	12 장면, 광경
5 enemy	13 추측하다, 생각하다; 추측
6 dessert	14 같은, 평등한
7 drug	15 강력한, 영향력 있는
8 earn	16 기획, 과제

B
| 1 guess | 3 scene |
| 2 dessert | 4 deaf |

C
| 1 ④ | 3 ① |
| 2 ② | |

D
1 earned	6 enemies
2 project	7 powerful
3 doubt	8 devils
4 experience	9 equal
5 offered	

누적 테스트
1 final	9 doubt
2 path	10 earn
3 injure	11 enemy
4 alone	12 freedom
5 interesting	13 guess
6 lonely	14 experience
7 waste	15 deaf
8 swallow	16 powerful

Unit 05 Step 3 학습한 단어 확인하기 pp. 38~39

A
1 fasten	9 전체의; 합계
2 deal	10 잔인한, 끔찍한
3 donate	11 예의 바른, 공손한
4 balance	12 두려워하는, 걱정하는
5 force	13 놀라움; 놀라게 하다
6 difficulty	14 …할 수 있는
7 refuse	15 놀람, 경보, 자명종
8 cost	16 실수, 오류

B
| 1 alarm | 3 difficulty |
| 2 cruel | 4 cost |

C
| 1 ② | 3 ① |
| 2 ④ | |

D
1 surprised	6 deal
2 polite	7 errors
3 balance	8 refused
4 able	9 total
5 Fasten	

누적 테스트
1 local	9 difficulty
2 offer	10 refuse
3 drug	11 afraid
4 devil	12 donate
5 equal	13 cruel
6 project	14 error
7 dessert	15 total
8 scene	16 polite

Unit 06 Step 3 학습한 단어 확인하기 pp. 44~45

A
1 slave	9 수수께끼
2 scratch	10 도구, 연장
3 society	11 경기장, 스타디움
4 flag	12 현재의, 참석한; 선물
5 bless	13 충돌하다; 충돌
6 scare	14 멍청한, 말을 못하는
7 deliver	15 섬기다, (음식을) 제공하다
8 rate	16 치다, 충돌하다

B
| 1 struck | 3 present |
| 2 scratch | 4 tool |

C
| 1 ③ | 3 ② |
| 2 ③ | |

D
1 served	6 stadium
2 scares	7 crashed
3 society	8 blessed
4 slave	9 rate
5 riddle	

누적 테스트
1 able	9 deliver
2 cost	10 rate
3 alarm	11 strike
4 fasten	12 crash
5 balance	13 scratch
6 force	14 tool
7 surprise	15 dumb
8 deal	16 riddle

Unit 07 Step 3 학습한 단어 확인하기   pp. 50~51

A
1 throat
2 selfish
3 succeed
4 treat
5 weapon
6 valley
7 spread
8 celebrate
9 익숙한, 친한
10 일, 직무
11 쓰레기
12 발견하다, 깨닫다
13 모습, 숫자, 인물
14 부, 재산
15 걱정하는, 갈망하는
16 노력, 수고

B
1 figure
2 trash
3 treated
4 celebrated

C
1 ④
2 ①
3 ③

D
1 Spread
2 anxious
3 discovered
4 succeeded
5 wealth
6 effort
7 valley
8 throat
9 familiar

누적 테스트

1 scare
2 society
3 slave
4 flag
5 bless
6 present
7 stadium
8 serve
9 weapon
10 task
11 selfish
12 familiar
13 anxious
14 effort
15 spread
16 discover

Unit 08 Step 3 학습한 단어 확인하기   pp. 56~57

A
1 servant
2 narrow
3 neighborhood
4 square
5 temple
6 honor
7 respect
8 schedule
9 몹시 놀라게하다, 겁을주다
10 길, 경로
11 치우다, 제거하다
12 곡물, 낟알
13 재능, 재주
14 신뢰; 신뢰하다, 믿다
15 거절하다, 거부하다
16 투표, 선거권; 투표하다

B
1 narrow
2 grain
3 rejected
4 temple

C
1 ②
2 ③
3 ③

D
1 honor
2 neighborhood
3 trust
4 removed
5 schedule
6 frightened
7 respect
8 route
9 square

누적 테스트

1 treat
2 trash
3 wealth
4 throat
5 valley
6 figure
7 succeed
8 celebrate
9 schedule
10 frighten
11 trust
12 square
13 reject
14 respect
15 route
16 narrow

Unit 09 Step 3 학습한 단어 확인하기   pp. 64~65

A
1 adventure
2 experiment
3 patient
4 garage
5 develop
6 university
7 dawn
8 direct
9 다투다, 논쟁하다
10 운동선수
11 싫어하다
12 쓸모없는, 헛된
13 손해; 피해를 입히다
14 사진
15 위치, 입장
16 올바른, 정확한; 바로잡다

B
1 damages
2 patient
3 photographs
4 athletes

C
1 ②
2 ③
3 ②

D
1 adventure
2 disliked
3 university
4 experiment
5 argue
6 correct
7 useless
8 direct
9 position

누적 테스트

1 grain
2 servant
3 temple
4 vote
5 honor
6 remove
7 talent
8 neighborhood
9 photograph
10 develop
11 damage
12 patient
13 adventure
14 dawn
15 experiment
16 dislike

Unit 10 Step 3 학습한 단어 확인하기 pp. 70~71

A
1. harbor
2. forgive
3. complain
4. education
5. purpose
6. environment
7. silence
8. fit
9. 몇몇의
10. 조금, 약간, 조각
11. 근면한, 성실한
12. (교통) 요금
13. 흔한, 공통의, 평범한
14. 예정된, … 때문에
15. 불길, 불꽃
16. (신문·잡지의) 글, 기사

B
1. fare
2. flames
3. bit
4. article

C
1. ④
2. ②
3. ①

D
1. education
2. several
3. environment
4. fits
5. complains
6. silence
7. diligent
8. due
9. common

누적 테스트
1. athlete
2. garage
3. position
4. university
5. direct
6. correct
7. useless
8. argue
9. purpose
10. diligent
11. forgive
12. education
13. complain
14. article
15. environment
16. fare

Unit 11 Step 3 학습한 단어 확인하기 pp. 76~77

A
1. promise
2. native
3. consider
4. loose
5. astronaut
6. owe
7. tear
8. recipe
9. 쟁점, 문제
10. …하게 하다
11. 창의적인
12. 일반적인, 보통의
13. 거리, 먼 곳
14. 탈출하다, 피하다
15. 실망시키다
16. 제안하다, 청혼하다

B
1. distance
2. Tears
3. Astronauts
4. loose

C
1. ④
2. ①
3. ②

D
1. promised
2. owe
3. Let
4. considering
5. disappoint
6. native
7. proposed
8. creative
9. general

누적 테스트
1. bit
2. due
3. flame
4. several
5. harbor
6. common
7. silence
8. fit
9. propose
10. tear
11. native
12. issue
13. astronaut
14. loose
15. owe
16. recipe

Unit 12 Step 3 학습한 단어 확인하기 pp. 82~83

A
1. regret
2. perform
3. holy
4. pillow
5. knowledge
6. passenger
7. classical
8. warn
9. 반복하다, 다시 말하다
10. 혼내다, 야단치다
11. 확정하다, 정착하다
12. 시도; 시도하다
13. 드문, 희귀한
14. 제발; 기쁘게 하다
15. 하지만, 그러나
16. 손윗사람; 손위의, 상위의

B
1. passengers
2. Knowledge
3. attempted
4. senior

C
1. ①
2. ③
3. ②

D
1. scolded
2. classical
3. performs
4. repeat
5. settled
6. regret
7. rare
8. pillow
9. However

누적 테스트
1. let
2. general
3. distance
4. promise
5. consider
6. creative
7. disappoint
8. escape
9. warn
10. knowledge
11. regret
12. settle
13. scold
14. rare
15. perform
16. attempt

Unit 13 Step 3 학습한 단어 확인하기 pp. 90~91

A
1 communicate
2 laundry
3 poison
4 maintain
5 praise
6 measure
7 punish
8 delivery
9 용서; 용서하다
10 고결한, 귀족의
11 계속되다, 계속하다
12 거의 …않는
13 한계 제한; 제한하다, 한정짓다
14 떠남, 출발
15 조직하다, 정리하다
16 특히

B
1 noble
2 communicate
3 especially
4 maintain

C
1 ④
2 ③
3 ②

D
1 limit
2 laundry
3 continued
4 organize
5 Poison
6 hardly
7 departure
8 praised
9 punished

누적 테스트
1 classical
2 holy
3 please
4 senior
5 however
6 pillow
7 passenger
8 repeat
9 hardly
10 organize
11 delivery
12 measure
13 departure
14 limit
15 continue
16 maintain

Unit 14 Step 3 학습한 단어 확인하기 pp. 96~97

A
1 similar
2 ancient
3 salary
4 tradition
5 standard
6 tend
7 prepare
8 thirsty
9 살아 있는, 생동감 있는
10 정확한, 꼼꼼한
11 호기심이 강한
12 구조하다; 구조
13 약속, 임명
14 고르다, 선택하다; 선택된, 엄선된
15 밖에, 밖으로; 겉, 바깥쪽
16 숨, 호흡

B
1 thirsty
2 select
3 ancient
4 exact

C
1 ②
2 ①
3 ③

D
1 prepare
2 salary
3 outside
4 similar
5 tend
6 alive
7 breath
8 tradition
9 standard

누적 테스트
1 praise
2 especially
3 communicate
4 pardon
5 poison
6 noble
7 laundry
8 punish
9 prepare
10 thirsty
11 ancient
12 similar
13 tradition
14 rescue
15 breath
16 exact

Unit 15 Step 3 학습한 단어 확인하기 pp. 102~103

A
1 graduate
2 satellite
3 instead
4 whisper
5 technology
6 advise
7 prefer
8 edge
9 속담
10 보통의, 평범한
11 끔찍한, 심한
12 무역; 거래하다, 교환하다
13 임무, 사명
14 받다, 수용하다
15 행동, 태도
16 활동, 활기

B
1 instead
2 advised
3 behavior
4 whispered

C
1 ②
2 ④
3 ③

D
1 received
2 satellites
3 trade
4 edge
5 technology
6 activitiy
7 mission
8 terrible
9 ordinary

누적 테스트
1 alive
2 standard
3 curious
4 outside
5 appointment
6 tend
7 select
8 salary
9 ordinary
10 behavior
11 activity
12 advise
13 graduate
14 trade
15 satellite
16 technology

Unit 16 Step 3 학습한 단어 확인하기 pp. 108~109

A
1 average
2 recent
3 grocery
4 value
5 crime
6 participate
7 blame
8 overcome
9 뒤쫓다, 추적하다
10 결석한, 없는
11 자국, 길, 경주로
12 목표, 표적
13 생산하다, 만들어 내다
14 믿다, 의지하다
15 존재하다
16 재료, 자료

B
1 absent
2 chased
3 grocery
4 tracks

C
1 ②
2 ②
3 ④

D
1 crime
2 produces
3 overcome
4 participate
5 material
6 exist
7 depend
8 average
9 target

누적 테스트
1 instead
2 mission
3 prefer
4 whisper
5 edge
6 proverb
7 terrible
8 receive
9 exist
10 participate
11 value
12 material
13 target
14 chase
15 overcome
16 average

Unit 17 Step 3 학습한 단어 확인하기 pp. 116~117

A
1 improve
2 attack
3 include
4 license
5 guard
6 climate
7 fame
8 challenge
9 요금 책임; 청구하다, (책임을)맡기다
10 편리한
11 양, 액수
12 청중, 관중
13 부인하다, 부정하다
14 활발한, 의욕적인
15 전형적인
16 감정, 정서

B
1 guarding
2 amount
3 climates
4 audience

C
1 ④
2 ②
3 ③

D
1 typical
2 charge
3 include
4 convenient
5 attack
6 challenge
7 fame
8 improve
9 lively

누적 테스트
1 depend
2 recent
3 crime
4 grocery
5 track
6 produce
7 blame
8 absent
9 lively
10 challenge
11 charge
12 attack
13 fame
14 deny
15 emotion
16 convenient

Unit 18 Step 3 학습한 단어 확인하기 pp. 122~123

A
1 freeze
2 pretend
3 confident
4 belong
5 traffic
6 contact
7 apply
8 private
9 아마, 어쩌면
10 미루다, 연기하다
11 …이외에도; 게다가
12 복종하다, 따르다
13 앞에, 앞으로
14 창조물, 생물
15 연결하다, 접속하다
16 요구하다; 요구, 수요

B
1 traffic
2 frozen
3 pretended
4 creatures

C
1 ③
2 ②
3 ④

D
1 ahead
2 private
3 contact
4 confident
5 apply
6 Perhaps
7 delayed
8 demanded
9 Besides

누적 테스트
1 climate
2 typical
3 include
4 improve
5 audience
6 guard
7 license
8 amount
9 ahead
10 besides
11 demand
12 apply
13 obey
14 pretend
15 contact
16 delay

Unit 19 Step 3 학습한 단어 확인하기 pp. 128~129

A
1. wrap
2. increase
3. effect
4. function
5. stretch
6. fuel
7. comfort
8. remain
9. 줄이다, 감소하다
10. 자원봉사자; 자원하다
11. 살아남다, 견디다
12. 엎지르다, 흘리다
13. 바라다; 욕망, 소망
14. 행동하다, 지휘하다
15. 충분, 많음
16. 제공하다, 주다

B
1. wrapping
2. spilled
3. comfort
4. stretched

C
1. ①
2. ④
3. ③

D
1. increased
2. remained
3. reduce
4. survived
5. conducted
6. plenty
7. volunteers
8. provides
9. effect

누적 테스트
1. traffic
2. private
3. connect
4. freeze
5. confident
6. perhaps
7. creature
8. belong
9. volunteer
10. increase
11. provide
12. fuel
13. remain
14. plenty
15. desire
16. conduct

Unit 20 Step 3 학습한 단어 확인하기 pp. 134~135

A
1. reply
2. possible
3. confuse
4. compare
5. notice
6. attention
7. outline
8. refrigerator
9. 주요한, 중심의
10. 분리하다; 분리된
11. 전체의, 완전한
12. 손님, 고객
13. 위치, 장소
14. 다르다
15. 좀처럼 …않는
16. 갈망하는, 열렬한

B
1. separated
2. refrigerator
3. entire
4. confuse

C
1. ②
2. ②
3. ③

D
1. location
2. eager
3. notice
4. Compare
5. reply
6. seldom
7. possible
8. attention
9. differ

누적 테스트
1. reduce
2. function
3. wrap
4. survive
5. comfort
6. effect
7. stretch
8. spill
9. central
10. separate
11. compare
12. attention
13. entire
14. location
15. confuse
16. seldom

Unit 21 Step 3 학습한 단어 확인하기 pp. 142~143

A
1. economy
2. physical
3. envy
4. burden
5. suggest
6. direction
7. chemical
8. congratulate
9. 노동, 일; 노동하다, 애쓰다
10. 결정하다, 알아내다
11. 측면, 양상
12. 정확히, 틀림없이
13. 빚, 부채
14. 신용 거래, 인정
15. 특유의, 특별한
16. 속이다, 기만하다

B
1. congratulated
2. particular
3. credit
4. envy

C
1. ④
2. ③
3. ①

D
1. deceive
2. aspects
3. direction
4. debt
5. labor
6. chemical
7. economy
8. exactly
9. determine

누적 테스트
1. reply
2. customer
3. refrigerator
4. eager
5. notice
6. outline
7. differ
8. possible
9. determine
10. exactly
11. debt
12. envy
13. suggest
14. chemical
15. physical
16. particular

Unit 22 Step 3 학습한 단어 확인하기 pp. 148~149

A
1 except
2 excuse
3 prevent
4 laboratory
5 mental
6 generation
7 attach
8 pollute
9 염색하다
10 자유, 해방
11 실망한, 낙담한
12 부끄러운, 당황한
13 교환; 주고받다, 바꾸다
14 …할 수 있게 하다
15 비상사태, 응급
16 알리다, 통보하다

B
1 laboratory
2 dyed
3 Excuse
4 except

C
1 ①
2 ②
3 ②

D
1 mental
2 pollute
3 liberty
4 attached
5 embarrassed
6 disappointed
7 exchange
8 prevent
9 emergency

누적 테스트

1 credit
2 congratulate
3 direction
4 aspect
5 deceive
6 burden
7 economy
8 labor
9 embarrassed
10 prevent
11 pollute
12 disappointed
13 emergency
14 mental
15 generation
16 attach

Unit 23 Step 3 학습한 단어 확인하기 pp. 154~155

A
1 suddenly
2 discuss
3 moral
4 cancer
5 independent
6 complete
7 charity
8 hesitate
9 명령; 명령하다
10 조용한, 침묵의
11 똑똑한, 지적인
12 줄다, 감소하다; 감소
13 확장하다, 늘리다
14 반대의, …와 다른
15 짜증나게 하다
16 즐겁게 하다

B
1 annoyed
2 extend
3 amused
4 silent

C
1 ③
2 ③
3 ④

D
1 cancer
2 moral
3 hesitated
4 decreased
5 command
6 charitiy
7 independent
8 Suddenly
9 Contrary

누적 테스트

1 laboratory
2 inform
3 exchange
4 except
5 enable
6 dye
7 excuse
8 liberty
9 contrary
10 intelligent
11 hesitate
12 charity
13 suddenly
14 complete
15 amuse
16 silent

Unit 24 Step 3 학습한 단어 확인하기 pp. 160~161

A
1 product
2 memorize
3 supply
4 advertise
5 justice
6 guilty
7 invest
8 illegal
9 종교
10 가정하다, 생각하다
11 적절한, 올바른
12 수입하다; 수입품, 수입
13 열정, 격정
14 영향; 영향을 주다
15 고통받다
16 수출하다; 수출품, 수출

B
1 exports
2 passion
3 influence
4 supply

C
1 ②
2 ①
3 ③

D
1 religion
2 product
3 imports
4 advertise
5 Suppose
6 proper
7 suffered
8 illegal
9 justice

누적 테스트

1 command
2 annoy
3 independent
4 moral
5 discuss
6 cancer
7 extend
8 decrease
9 guilty
10 memorize
11 advertise
12 import
13 religion
14 influence
15 illegal
16 export

Index 어휘목록